KB091955

논·술·한·국·대·표·문·학

60

# 삼국유사

일연

H 훈민출판사

감은사지 석탑. 불교에서는 탑을 돌며 소원을 빌면 그 소원하는 것이 이루어진다고 한다.

*The Best Korean Literature*

단군비. 〈삼국유사〉는 여러 문헌 가운데 단군 신화를 처음 수록한 책으로, 우리 민족의 독자성을 강조했다.

〈삼국유사〉의 원본

김유신 영정. 김유신의 둘째 여동생은 언니에게
꿈을 사서 김춘추와 결혼하게 된다.

계림(옛 신라)의 거목

<삼국유사>에서는 평화로웠던 신라 사람
들의 생활상을 엿볼 수 있는데, 그런 여
유로움 속에서 불국사 같은 아름다운 건
물이 지어졌다.

단군성전

김유신 사적비. 〈삼국유사〉에서 김유신은 하늘의 뜻을 받들어 통일의 위업을 완성하였다.

*The Best Korean Literature*

영지 석불. 〈삼국유사〉를 보면, 당시 신라인들의 불교에 대한 신앙을 엿볼 수 있다.

길상사. 〈삼국유사〉는 불교에 관한 내용이 대부분이다.

## 구인환(丘仁煥)

서울대학교 사범대학 졸업. 동 대학원 졸업(문학박사)
서울대학교 명예교수, 소설가(현). 서울대학교 사범대학 국어교육연구소 소장(현)
문학과문학교육연구소 소장(현). 국제펜 한국본부 부회장(현)
한국소설문학상(1987) 예술문화대상(1994) 한국문학상(2000)
작품 〈숨쉬는 영정〉, 〈살아 있는 날들〉, 〈일어서는 산〉 외 다수

- **저서** ≪한국단편소설의 이해≫, ≪한국현대소설의 비평적 성찰≫,
  ≪고교생이 알아야 할 소설≫, ≪고교생이 알아야 할 세계단편소설≫ 외 다수

## 윤병로(尹柄魯)

성균관대학교 국어국문학과 졸업. 동 대학원 졸업(문학박사)
성균관대학교 교수, 문학평론가(현). 한국현대소설학회장(현)
한국문예학술저작권협회 이사(현). 한국간행물윤리위원회 위원(현)
한국펜 문학상(1987). 한국문학상(1988). 대한민국문학상(1989)
수필집 ≪나의 작은 애인들≫

- **저서** ≪현대 작가론≫, ≪한국 현대 소설의 탐구≫,
  ≪한국 근대 작가 작품 연구≫, ≪한국 현대작가의 문제작 평설≫ 외 다수

## 홍성암(洪性岩)

고려대학교 국어국문학과 졸업. 한양대학교 대학원 국어국문학과 졸업(문학박사)
동덕여자대학교 교수, 소설가(현). 한국문인협회 회원(현)
한국소설가협회 이사(현). 국제펜 한국본부 소설분과 이사(현). 한민족 문화학회 회장(현)
창작집 ≪큰 물로 가는 큰 고기≫, ≪어떤 귀향≫ 외
대하역사소설 ≪남한산성≫(전9권) 외 다수

- **저서** ≪문학의 이해≫, ≪현대 작가론≫, ≪한국 근대 역사소설 연구≫ 외 다수

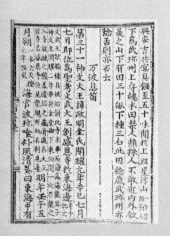

〈삼국유사〉의 내용 중 모든 근심을 잠재우는 '만파식적'의 원본

# 논술 *한국대표문학*을 펴내며

21세기의 사회는 '**전자 문명 시대**'라 일컬어질 만큼 오늘날 전자 산업은 우리 생활의 거의 모든 분야에 다양하게 응용되고 있습니다. 출판 분야 또한 예외는 아니어서, 종래의 서책(Book) 대신에 이른바 '전자책(CD-ROM)'의 출간이 최근 들어 날로 증가하고 있습니다.

그러나 이러한 전자책은 영상 또는 모니터상으로 흥미 위주나 백과사전식 지식을 습득하는 데는 효과적일지 모르지만, 문학 공부를 위해서는 별로 도움이 되지 않습니다. 바꾸어 말하면, 문학 공부는 각 지면마다 살아 숨쉬는 표현 하나하나를 독자 자신의 머리로 음미하면서 작품을 읽어 나가는 가운데, 풍부한 상상력의 배양과 함께 작가의 의도와 그 작품의 내면을 깊이 있게 이해함으로써 이루어지는 것입니다.

이에 훈민출판사에서는, 자라나는 학생들이 범람하는 영상 매체에 길들여지기 전에, 어려서부터 유명한 세계문학 작품들을 책자를 통하여 감명 깊게 읽고 감상함으로써, 올바른 문학 공부의 기틀을 다지고, 아울러 전인 교육도 할 수 있도록 《논술 한국대표문학(전60권)》을 펴내게 되었습니다.

작품 선정은, 초·중·고등학교 국어 교과서와 역사 교과서에 실리거나 소개된 문학 작품을 중심으로 하되, 그리스 신화와 성경 이야기 등의 고전에서부터 중세·근대·현대에 이르기까지 세르반테스·셰익스피어·톨스토이 등 세계 유명 작가들의 장·단편 소설들을 엄선·수록하였습니다. 또 세계의 명시도 별권으로 엮었으며, 특히 각 단락마다 '**논술 문제**'를 제시하여, 장차 대학입시를 비롯한 각종 '논술 고사'에 예비 지식을 쌓을 수 있도록 배려하였습니다. 아무쪼록, 이 《논술 한국대표문학(전60권)》이 자라나는 학생들에게 문학 공부의 주춧돌이 되고, 나아가 미래를 살아가는 데 **정신적 자양분**이 되기를 진심으로 바라 마지않습니다.

훈민출판사

차례

# 삼국유사

일 연

지은이

1206~1289년. 고려 후기의 승려. 성은 김씨이고, 법명은 견명이었다가
나중에 일연으로 바꾸었다. 1227년 승과에 급제하여, 그 후 선사, 대선사
가 되었다. 1261년 선월사, 1277년 운문사 주지를 거쳐, 1283년 국존으
로 추대되었다. 그의 대표 저서인 《삼국유사》는 우리 나라 고대 신화와 설
화 및 향가를 수록한 고대사 연구의 귀중한 자료로 평가받는다.

# 삼국유사

## 단군 신화

오래 전, 하늘을 다스리는 환인이라는 황제가 있었다. 환인에게는 여러 아들이 있었는데, 그 중 환웅은 다른 형제와 생각하는 바가 달랐다.

'아, 이 곳에서 하루하루를 보내기보다는 아직 아무것도 이루어지지 않은 땅으로 내려가 내 뜻을 펼치고 싶구나.'

환웅이 사는 곳은 원하는 것은 무엇이든지 가질 수 있었지만, 그 곳을 떠나 새로운 생활을 해 보고 싶은 마음이 간절했다.

환인은 아들이 늘 무엇인가 골똘히 생각에 잠겨 있는 모습을 보고는 걱정이 되었다.

"환웅아, 요즘 들어 네 웃는 얼굴을 보기가 어렵구나. 무슨 고민이라도 있느냐?"

하루는 아들을 직접 불러 다정스럽게 물어보았다. 환웅은 아버지의 갑작스런 질문에 고개만 수그리고 있다가 말문을 열었다.

"아버님, 제 마음속에 품은 뜻을 말씀드리겠습니다. 저는 이 곳을 떠나 인간들이 사는 땅으로 내려가 그 곳을 잘 다스려 보고 싶습니다."

"호, 인간들이 사는 땅을 다스리고 싶다고…… 이 곳에 있으면 네가 하고 싶은 것은 무엇이든 할 수 있을 텐데, 어찌 스스로 어려움을 겪고자 하느냐?"

황제의 물음에 환웅이 대답했다.

"하늘에서 땅을 내려다보면 아름다운 산과 들을 볼 수 있습니다. 그 위에 인간들을 널리 이롭게 할 제도를 만들어 다스린다면 이보다 더 좋을 수는 없다고 생각합니다. 부디 제게 기회를 주십시오."

아들의 생각을 기특히 여긴 환인은 고개를 끄덕이며 흡족해했다.

"내 너에게 인간 세계로 내려가 다스릴 수 있는 권한을 주겠다. 그 표시로 세 개의 보물 도장 천부인을 가져가도록 해라."

환웅은 아버지의 허락을 받고 기뻐서 여러 번 감사의 절을 올렸다. 그런 다음 즉시 부하 3천 명과 함께 태백산의 신단수(하늘에 제사 드리는 제단이 있는 곳)로 내려왔다. 신단수 밑을 신시라고 부르고, 자신은 환웅 천왕이라고 부르게 했다.

환웅 천왕은 바람 신, 구름 신, 비의 신과 함께 인간의 목숨, 질병, 죄와 벌, 선과 악 등을 360가지로 분류하여 다스렸다.

인간 세상을 다스리는 일로 바쁜 환웅 천왕에게 어느 날, 손님이 찾아왔다.

"소원이 있어서 왔습니다."

그들은 다름 아닌 곰과 호랑이였다. 하늘에서 왕이 내려오셨다는 소문이 널리 퍼지자, 숲 속 동물들이 혹시나 하는 마음에 환웅을 찾아온 것이었다.

"그래, 너희들의 소원이 무엇이냐?"

"사람이 되고 싶습니다. 사람이 될 수만 있다면 시키시는 것은 무엇이든 하겠습니다."

"흠, 사람이 되고 싶다……."

환웅은 동물들의 소원을 갸륵히 여겨 방법을 일러 주었다.

"여기 쑥 한 줌과 마늘 스무 개가 있다. 동굴로 들어가 이걸 먹으며 백 일 동안 햇빛을 보지 않고 견딘다면 너희들의 소원을 들어주겠다."

곰과 호랑이는 감사의 인사를 올리고 그 길로 어두컴컴한 동굴 속으로 들어갔다.

성질이 급한 호랑이는 한 동안 쑥과 마늘을 먹으며 잘 견뎠지만 스무 날이 지나자 더 이상 참지 못하고 불평을 하기 시작했다.

"어휴, 도저히 참을 수가 없네. 이제 마늘만 보면 신물이 나 토할 것 같으니……."

"조금만 더 참기로 하세."

먹는 것도 힘들었지만, 어두컴컴한 굴속에서 지낸다는 것이 성질이 거친 호랑이에게는 참기 어려운 일이었다. 호랑이는 마침내 더 이상 참지 못하고 굴속을 뛰쳐나오고 말았다.

혼자 굴속에서 지내며 견디기를 백 일째, 드디어 곰은 환웅과의 약속을 지켜 냈다.

"아, 오늘이 천왕과 약속한 날이로구나."

기쁨에 들뜬 곰은 어두운 굴속을 나와 맑게 갠 하늘을 우러러보았다.

"아, 얼마 만에 보는 하늘인가? 참으로 아름답구나."

백 일 만에 본 숲 속이 낯설은 듯 사방을 두리번거리던 곰은 자신의 모습을 보고는 소스라치게 놀랐다.

"아니, 내가 사람이 되었네. 내 소원이 이루어졌구나. 아! 천왕님 감사합니다."

여자로 변한 곰은 너무 좋아 어쩔 줄을 몰라 하며 신단수을 찾아 감사의 기도를 올렸다. 하지만 인간의 모습으로 살아가던 웅녀는 날이 갈수록 외로움이 밀려왔다.

'아, 나도 혼인을 하여 아이를 갖게 된다면 얼마나 좋을까?'

웅녀는 다시 신단수 밑을 찾아 열심히 소원을 빌었다.

"제가 하늘의 도움으로 인간의 모습을 하게 되었습니다. 욕심은 끝이 없다고 하더니, 이제 바라는 것이 한 가지 더 생겼습니다. 부디 좋은 배필을 만나 아이를 가질 수 있도록 해 주십시오."

매일 이 곳을 찾아 소원을 비는 웅녀를 지켜보던 환웅 천왕은 그녀의 소원을 들어 주기로 했다. 한 순간 남자의 몸으로 변한 그는 웅녀와 혼인을 했다.

그 후, 웅녀는 아들을 낳았고, 이름을 단군이라 지었다. 단군 왕검은 자라나 평양에서 왕위에 오르고 나라 이름을 조선이라고 했다. 그 뒤로 도읍지를 백악산 아사달로 옮겨 1,500년간 나라를 다스렸다.

## 활 잘 쏘는 아이, 주몽

날씨가 화창한 어느 날이었다. 동부여의 왕인 금와는 우연히 태백산 남쪽의 우발수 강가를 거닐게 되었다.

"아, 마치 금가루를 뿌려 놓은 듯 강물이 아름답구나."

강 주변의 경치에 흠뻑 빠진 금와는 탄성을 내뱉으며 이곳 저곳을 둘러보고 있었다. 그런데, 웬 낯선 여인이 나무 밑에 앉아 훌쩍이고 있는 것이 눈에 띄었다.

금와는 궁금증을 못 이겨 그녀 곁으로 가 보았다. 인기척에 놀란 여인은 눈물을 그치고 몸을 사렸다.

"놀라게 해서 죄송합니다. 멀리서 보니 슬픔에 젖어 있길래 나도 모르게 이리로 오게 되었습니다."

단정한 옷차림에 다정스런 말로 안심을 시키는 금와를 본 여인은 마음이 놓이는지 안도의 한숨을 내쉬었다.

"무슨 사연이 있는 듯한데……."

여인은 도움이 필요했던지 금와에게 자신의 일을 털어놓았다.

"제 이름은 유화로 하백(냇물을 다스리는 신)의 딸입니다. 하루는 동생들과 어울려 나들이를 했습니다. 그런데 그 곳에서 늠름하고 잘 생긴 한 젊은이를 만났습니다. 그는 자신을 천제의 아들 해모수라고 소개한 후, 웅신산 아래 위치한 압록강 가의 집으로 저를 데리고 갔습니다. 우리는 부부의 인연을 맺고, 한동안 그 곳에서 즐거운 시간을 보냈습니다. 얼마 후, 잠시 다녀온다던 그는 다시 돌아오지를 않았습니다. 기다리다 지친 저는 부모님에게로 돌아갔으나, 받아 주시지를 않으셨습니다. 부모님의 허락 없이 낯선 남자와 혼인을 했다고 크게 꾸짖고 이 곳으로 내쫓으셨습니다."

이야기를 마친 유화는 지난 일이 새삼스러운 듯이 다시 눈물을 머금었다.

금와왕은 여인의 처지가 딱하기도 하고 이상한 생각도 들어 자신이 머물고 있는 궁으로 데려가기로 마음먹었다.

"가실 곳이 마땅하지 않은 듯하니, 저와 함께 궁으로 가십시다."

"말씀은 고맙지만, 어찌……."

잠시 금와의 청을 거절하며 뒤돌아서던 유화는 이내 마음을 작정한 듯 금와의 뒤를 따랐다. 몸과 마음이 지칠 대로 지친 여인은 궁에 도착하자마자 쓰러지듯 자리에 누웠다.

"저 여인은 지금 몹시 지쳐 있는 듯하니, 방 안을 어둡게 하여 돌보도록 해라."

금와의 지시대로 햇빛이 잘 들지 않는 방에 자리를 펴고 누운 유화는 이내 잠에 빠져들었다. 그녀 곁에는 시녀 한 명이 지키고 있었다.

그런데 시간이 조금 흐른 뒤, 어디선가 한 줄기 빛이 들어와 방 안을 환히 비추기 시작했다. 빛은 점점 길어지더니 자리에 누운 유화에게로 향했다.

깊이 잠들었던 유화도 몸이 점점 뜨거워지자 화들짝 놀라 잠에서 깨었다.

"아니, 어디서 이토록 강한 빛이 들어오는 걸까?"

잠에서 막 깨어난 유화는 사방을 두리번거렸고 햇빛을 피해 몸을 사렸다. 유화의 놀라는 소리에 옆에서 졸던 시녀도 잠이 깨었다.

"아, 왜 이리 덥지? 이 곳은 햇빛이 잘 들지 않는 방인데……."

시녀는 유화가 빛을 피해 이리저리로 다니자 제 몸으로 빛이 들어오는 것을 가렸다. 하지만 신기하게도 빛은 시녀의 몸을 피해 유화에게만 따라다녔다.

유화를 모시던 시녀는 서둘러 금와에게로 가 이 사실을 알렸다.

"뭐라고? 그게 무슨 말이냐. 햇빛이 그 여인만 쫓아다니며 비추고 있다니……."

금와는 이 사실이 믿기지 않는다는 듯이 유화가 거처하는 방으로 가 보았다. 그러나 그가 그 곳에 당도했을 때에는 아무 일도 없었다는 듯이 조용하기만 했다.

유화는 다시금 깊은 잠에 빠져 있었고, 방 안은 적당히 어두웠고, 빛이 들어올 만한 곳은 보이지 않았다.

"아무 일도 없지 않으냐? 조금 전에 말한 빛은 어디 있느냐?"

"아닙니다. 분명 강한 빛이 이곳 저곳을 돌아다니며 저 여인을 비추고 있었습니다."

"네가 헛것을 본 것이 분명하다. 이후로 한 번만 더 쓸데없는 말을 할 때는 용서하지 않겠으니 그리 알아라."

단단히 주의를 주고 금와는 그 곳을 떠났다. 그런 일이 있은 후, 유화는 아이를 가지게 되었다. 달이 찰수록 그녀의 배는 점점 더 불러 왔다.

해산이 가까워지자, 그녀는 고통을 느끼기 시작했다. 곁에는 해산을 도울 두 명의 시녀가 대기하고 있었다.

드디어 그녀는 해산을 하게 되었다. 두 명의 시녀는 그녀 몸에서 나온 무언가를 발견하고 소스라치게 놀랐다.

"어머, 이게 뭐야?"

"아이고, 망측해라. 사람이 알을 낳다니…… 어쩐지 애기 울음소리도 들리지 않더라니……."

유화가 낳은 것은 다름 아닌 커다란 알이었다. 시녀들은 서로 귓속말을 해 가며 슬금슬금 그 자리를 물러나왔다.

"자네는 어서 가서 이 사실을 왕께 알리게."

시녀 한 명이 부리나케 달려가 유화가 알덩이를 낳은 사실을 금와왕에게 알렸다. 이번에도 믿기지 않은 일을 보고받은 왕은 화를 버럭 냈다.

"이번에도 거짓말임이 드러날 시에는 각오해라."

시녀의 뒤를 따라 유화가 머물고 있던 방으로 들어간 왕은 방 가운데 놓인 알덩어리를 보고 깜짝 놀라 뒤로 주춤 물러섰다.

'저것은 분명 저주 받은 물건임에 틀림없다.'

이렇게 생각한 금와는 하인들을 시켜 알을 내다 버리도록 명령했다. 건장한 사람 몇몇이 알을 들고 나와 돼지우리에 던져 넣었다.

하지만 돼지들은 알이 있는 근처에는 얼씬도 하지 않고 눈치를 보며 피해 다녔다.

"오늘따라 돼지들이 왜 저리 꿍꿍댈까?"

하인 하나가 돼지우리로 가 확인해 보니, 돼지들이 알을 피해서 한쪽

에 몰려 낑낑대고 있었다.

"내 짐작으로는 저 알 때문에 돼지들이 기를 못 펴는 것 같은데……."

돼지를 돌보던 하인은 사람을 시켜 서둘러 알을 옮기도록 했다. 이번에는 덩치가 큰 말들이 있는 마구간에 던져 넣었다.

처음에 말 하나가 슬금슬금 알 근처로 다가오더니 발길질을 했다. 하지만 이내 기겁을 하고 뒤로 물러나 히힝거렸다. 다른 말들은 아예 근처에도 오지 않았다.

하인은 마지막으로 외양간에 알을 던져 넣었다. 소들 역시 알을 밟지 않으려고 주변으로만 몰려 있었다.

동물들의 반응을 모두 지켜본 하인이 이 사실을 왕에게 고했다.

"거, 이상한 일이로구나. 짐승들이 먹지 않으려는 이유는 아마도 썩은 알이라서 그런지 모르겠다. 아예 들판에 던져 버려라."

왕의 명을 받은 하인들은 알을 들판에 내다 버렸다. 그러자 새들과 들짐승들이 알 주변으로 몰려들기 시작했다. 새들은 깃털을 모아 알을 살며시 덮어 주었고, 짐승들은 행여나 알에 상처가 날까 봐 번갈아 보호해 주었다.

시간이 흘러 내다 버린 알이 궁금해진 한 하인이 들판으로 나와 확인을 해 보았다.

'며칠 전에 버린 알이 아직까지 이 곳에 있을 리가 없지. 벌써 들짐승들이 물어갔거나 그 자리에서 먹어 버렸을 테니…….'

알이 보이지 않자 마음을 놓은 하인이 뒤돌아서 가려는 찰나, 무언가 눈에 스치는 것이 있었다.

"설마……."

나무 밑에 수북한 깃털로 싸인 무엇인가가 보였다. 하인은 재빨리 달려가 무수히 덮인 깃털을 헤쳐 보았다.

"아, 이럴 수가!"

하인은 그 자리에 털썩 주저앉으며 비명을 질렀다. 숲 속에서는 짐승들이 눈을 번득이며 그를 주시하고 있었다.

걸음아 날 살려라 하고 그 곳을 빠져나온 하인은 자신이 보았던 일을 왕에게 알렸다.

"뭐라고? 짐승과 새들조차 썩어빠진 알을 소중히 돌보고 있다고?"

화가 머리끝까지 난 금와왕은 당장 그 알을 가져오라고 명령했다. 알을 대령하자 왕은 도끼와 쇳덩이를 준비시켰다.

"내가 보는 앞에서 저 알을 깨트려 버려라. 알을 깨뜨린 자에게는 후한 상을 내릴 것이다."

곧이어 쇠망치와 도끼로 내려찍는 소리가 요란하게 들렸다. 하지만, 아무리 날카로운 칼날을 받아도 알은 꿈쩍도 하지 않았다. 힘세고 건장한 장사들도 헉헉대며 뒤로 나가떨어졌다.

이 광경을 지켜보던 왕은 자신의 행동을 뉘우치며 마음속으로 생각했다.

'이건 필시 하늘의 뜻이로구나. 내가 경망스러이 행동하여 하늘이 내리신 물건을 해하고자 했구나.'

여기까지 생각이 미친 왕은 즉시 알을 쪼개는 일을 중지시켰다.

"여봐라, 알을 깨는 일을 그만두어라. 그리고 알을 잘 다듬어 유화 부인께 가져다 드리거라."

유화는 뒤늦게 자신이 알을 낳은 사실을 깨닫고 시름에 빠져 있었다. 하지만 되돌아온 알을 본 순간, 마치 집 나간 자식이 돌아온 것처럼 기뻤다.

"흑흑흑, 어디 갔다가 이제야 돌아온 게냐?"

그녀는 알을 꼭 안고 눈물을 흘렸다. 그 뒤로 유화는 알을 보자기로 잘 싼 뒤, 따뜻한 곳에 놓아 두었다.

아침 저녁으로 알 가까이 가서 이야기도 들려 주고, 따뜻한 손길로 어루만져 주었다. 알은 이에 대답하기라고 하는 듯이 껍질을 흔들거렸다.

어느 날이었다. 따뜻한 곳에 놔 두었던 알이 조금씩 금이 가기 시작했다. 유화 부인을 모시던 시녀가 이를 발견하고 소리쳤다.

"여기 좀 보세요! 알이 조금씩 깨지면서 꿈틀대고 있어요."

시녀의 말을 듣고 알을 살피던 유화는 숨을 죽이고 이것을 지켜보았다.

이윽고, 껍데기가 깨지면서 사내아이가 나왔다. 그 모습은 여느 아이와는 달리 비범해 보였다. 외모가 출중하고 총명해 보였다.

"아, 하늘이시여! 감사합니다. 이렇게 건강한 아이를 내게 보내 주셨으니……."

알에서 태어난 아이는 쑥쑥 자라 어느덧 일곱 살이 되었다. 소년은 글공부에서도 그 재주가 뛰어났다. 게다가 활을 다루는 솜씨는 여느 어른에 뒤지지 않을 정도였다.

직접 만든 활과 화살로 날아가는 새도 단숨에 명중시켰다. 이른바 백 번을 쏘면 백 번을 다 맞힐 정도였다.

그 당시 동부여에서는 활을 잘 쏘는 사람을 가리켜 주몽이라고 불렀는데, 사람들은 이 소년에게 주몽이라는 이름을 붙여 주었다.

주몽의 친구들과 형제들은 날이 밝으면 들로 뛰어다니며 시합을 하곤 했다. 금와왕은 일곱 명의 아들을 두었는데, 그들은 주몽의 뛰어난 재주를 시기하였다.

어릴 적엔 사냥과 말타기, 활쏘기에 능한 주몽과 잘 어울려 놀곤 했지만, 나이가 들수록 주몽을 경계의 눈빛으로 대했다.

태자 대소가 하루는 아버지 금와왕에게 나아가 아뢰었다.

"아버님, 주몽에 대해 드릴 말씀이 있습니다."

"무슨 일인지 말해 보거라."

"예, 주몽은 겉으로는 착한 척하지만 다른 뜻을 품고 있는 듯합니다. 지금 그를 내쫓지 않으면 후회하실 날이 올 겁니다. 게다가 주몽은 사람의 자식이 아니란 것을 아버님께서도 잘 알고 계시지 않습니까?"

금와왕은 태자의 말을 듣고는 눈치를 챘다.

'대소가 주몽의 뛰어난 재주를 경계하고 있구나.'

태자의 심정을 한편으로는 이해하지만 당장 주몽을 내쫓고 싶지는 않았다. 왕은 태자와 주몽의 일을 어떻게 해야 할지 잠시 궁리했다.

'아, 그렇지. 태자의 말을 들어 주는 척하면서 주몽을 내 곁에 머물게 해야겠다.'

왕은 이렇게 작정하고 태자를 향해 조용히 일렀다.

"태자는 듣거라. 주몽이 다른 여인에게서 태어났다 할지라도 네 동생임에 틀림없다. 하지만 네 말에도 일리가 있으니 앞으로는 주몽을 마구간에서 일하도록 하겠다."

태자는 아버님의 결정이 흡족하지는 않았지만, 말을 돌보는 하찮은 일을 맡겼다는 것에 위안을 삼았다.

주몽은 금와왕의 명령대로 마구간에서 말을 돌보는 일을 시작했다. 자신에게 앞으로 닥칠 미래를 예감해서인지 주몽은 싫은 내색 없이 열심히 맡은 일을 해 나갔다.

'아, 언젠가는 이 궁궐을 떠나야 할 날이 올 것은 알고 있었지만, 나를 경계하는 형들의 눈빛이 견딜 수 없이 괴롭구나.'

비참한 마음을 뒤로 하고 주몽은 앞날을 위해 좋은 말과 평범한 말을 분류해 놓았다. 그런 뒤에 명마에게는 먹이를 조금만 주어 비쩍 마르게 했다. 반대로 품종이 좋지 않은 말에게는 살찌게 먹여 윤기가 번지르르

하게 해 두었다.

왕은 사냥을 나가거나 산책을 할 때면 윤기가 흐르는 살찐 말을 타곤 했다.

"주몽아, 말을 돌보느라 수고했으니 네게 말 몇 필을 주마."

그리고는 여위고 기운이 없어 보이는 말 몇 마리를 주몽의 몫으로 넘겨 주었다.

7형제들은 주몽이 마구간으로 쫓겨났는데도 안심하지 않고, 아예 그를 없애 버릴 방도를 계획하고 있었다.

더 이상 궁궐에서 지낼 수 없을 정도로 사태가 위급해진 것을 알게 된 유화 부인이 주몽을 불렀다.

"얘야, 내 죄가 크다. 어미로서 자식을 지켜주지 못하고 이런 말을 해야 하다니……."

소매로 눈물을 닦으며 말을 잇지 못하는 어머니를 물끄러미 바라보던 주몽은 오히려 어머니를 위로했다.

"어머니, 고정하십시오. 무슨 일이라도 있으신지요?"

"이제 네가 이 곳을 떠나야 할 때가 온 것 같구나."

"네? 당장 어머니 곁을 떠나야 한다구요?"

어렴풋이 궁궐에 오래 머물러 살 수는 없다고 느꼈지만, 그 시기가 이렇게 빨리 올 줄 몰랐던 주몽은 어머니의 말씀을 듣고는 서러움이 복받쳤다.

"지금 태자와 형제들이 너를 없앨 모의를 한다는구나. 네가 가진 재주면 어디를 가든지 잘 살 수 있을 것이다. 지체하지 말고 어서 떠나거라."

"어머님!"

주몽은 유화 부인의 마음을 아프게 하지 않으려고 나오려는 눈물을 삼켰다. 하직 인사를 하고 그 곳을 물러나온 주몽은 자신을 따르던 신하들을 은밀히 불렀다.

"여러분, 내 말을 잘 들으시오. 나는 이 곳을 떠나 새로운 땅으로 가려고 하오. 그 동안 나를 잘 보살펴 주었던 일을 감사드리오."

"무슨 말씀입니까? 우리를 내버려 두고 어디로 가신다는 말씀입니까? 저희들도 데려가 주십시오."

오이, 마리, 합부 세 사람은 주몽에게 함께 떠날 것을 애원했다.

"여러분들의 뜻이 정 그렇다면…… 좋소. 그럼 미리 골라 둔 말들을 타고 함께 떠나기로 합시다."

앞으로 큰 어려움이 많으리라는 것을 알고 있었지만 세 신하는 주몽을 따라 살고 죽는 일을 함께할 것을 맹세했다.

주몽과 세 신하는 비쩍 마른 명마를 한 마리씩 골라 타고 궁궐을 빠져 나와 동쪽으로 말을 달리기 시작했다.

태자는 주몽을 죽일 계획으로 심복을 시켜 주몽의 거처를 염탐하게 했다.

그 날도 태자와 형제들이 모여 앉아 의논을 하고 있을 때였다.

"태자 마마, 큰일났습니다."

"무슨 일인데 이리 호들갑이냐?"

야단스럽게 불러 대는 하인의 목소리에 짜증이 난 태자가 면박을 주었다.

"주몽이 없어졌습니다."

"뭐야? 마구간에는 가 보았느냐?"

"몇 명의 사람과 함께 말을 몰아 궁궐을 빠져 나갔다고 합니다."

다급해진 태자는 이 일을 왕에게 보고하라고 시킨 후, 자신은 군사들과 함께 주몽의 뒤를 쫓았다.

　한편 주몽의 일행은 말을 달려 엄수라는 강가에 이르렀다. 멀리서 뽀
얀 먼지를 일으키며 추적꾼이 뒤따라오는 것이 보였다.
　"이를 어쩝니까? 물이 너무 깊어 건널 수가 없으니……."
　"이거 참, 앞은 강물이 흐르고 뒤에서는 태자의 군사들이 쫓아오고
있으니……."
　주몽은 앞으로도 뒤로도 갈 수 없는 처지에 이르렀다.
　'아, 어쩌면 좋단 말인가? 말을 타고 건너기에는 힘들 것이고, 돌아
서 가자니 시퍼런 칼날이 기다리고 있고…….'
　잠시 자신의 처지를 원망하며 망연자실 서 있었다.
　"물을 다스리는 신이시여! 나는 그대의 외손자 주몽이올시다. 시기하
는 다른 형제들로부터 도망쳐 새로운 땅을 찾아가던 길에 건널 수 없
는 강을 만나게 되었습니다. 진정 당신의 손자로 나를 받아들여 준다

면 부디 길을 만들어 이 곳을 건너게 해 주십시오.”

간절한 염원을 담아 강물을 바라보며 주몽은 큰 소리로 소원을 빌었다. 잠시 후 이에 대답하기라도 하듯 수많은 물고기와 자라 떼가 물 위로 떠오르기 시작했다.

“앗! 저기를 좀 보십시오.”

곁에 있던 한 사람이 강물을 바라보며 소리쳤다.

“물의 신이시여, 감사합니다.”

떠오른 물고기와 자라 떼는 서로의 머리와 꼬리를 물어, 다리를 만들어 주었다. 순식간에 물고기들의 다리가 만들어지자 주몽 일행은 지체하지 않고, 강으로 훌쩍 뛰어들었다.

주몽 일행이 물고기가 만들어 준 다리를 다 건너갈 즈음, 뒤쫓아 오던 태자의 군사들이 강가에 도착했다.

"아니, 저게 무언가?"

"세상에! 물고기와 자라들이 수없이 몰려 있지 않나?"

태자와 군사들은 벌어진 입을 다물지 못하고 그 광경을 멍하니 바라볼 뿐이었다.

주몽 일행이 강을 다 건너가자, 물고기와 자라들은 언제 그랬냐 싶게 사방으로 흩어져 버렸다. 결국 태자의 무리들은 더 이상 그 뒤를 쫓지 못하고 돌아갈 수밖에 없었다.

말을 달려 졸본주에 도착한 주몽 일행은 그 곳을 도읍지로 삼았다.

비류수 가에 임시 초막을 짓고 나라 이름을 고구려라 붙였다. 이 때 주몽의 나이 열두 살로, 성을 고씨로 정하고 고주몽이라 했다.

## 탈해왕의 지략

신라 동쪽 하서지란 곳에 아진포라는 마을이 있었다. 이 곳에 아진의선이란 이름의 한 할머니가 살고 있었는데, 고기를 잡으며 생활하고 있었다.

그 때는 신라 제2대 남해왕 시절이었다. 그 날도 할머니는 고기를 잡기 위해 바닷가로 나갔다.

"아니, 웬 까치 떼가 저리도 많이 몰려 있는 걸까?"

무언가 이상한 일이 있음을 눈치챈 아진의선 할머니는 서둘러 까치 떼가 몰려 있는 곳으로 갔다.

할머니가 배를 저어 당도한 곳에는 작은 배 하나가 물결에 밀려 이리저리 흔들리고 있었다.

하늘에 떠 있던 까치들은 할머니가 가까이 온 것을 알자, 까악까악 소리를 내며 울부짖기 시작했다.

"저 까치들이 마치 이 배를 보호하고 있는 것 같군. 배 안에 무엇이 있길래 저리도 소란스럽게 우는 걸까?"

배 안에는 커다란 궤짝이 하나 실려 있었다. 길이는 스무 자, 폭은 열세 자 정도 되어 보였다.

'혹시 일전에 사람들이 들려 주었던 그 배가 아닐까?'

할머니는 문득 가락국의 임금인 수로왕이 바닷가에 밀려온 배를 맞이하기 위해 정성을 다했지만, 배가 사라져 버렸다는 이야기를 떠올렸다.

할머니는 혼자의 힘으로는 그 배를 운반하기 어려울 것 같아 집안 사람들을 불러 힘을 합쳐 배를 끌어당겼다. 모래사장의 한 나무 밑에 배를 매어 두고 사람들이 한 마디씩 했다.

"궤짝 속에 무엇이 들어 있을까?"

"혹시 잘못 열어 보았다가 큰 재앙이라도 내리는 것은 아닐까?"

"그래, 그럴지도 모르겠네. 난 그만 집으로 돌아가겠네."

사람들은 슬금슬금 그 자리를 빠져 나와 흩어졌다. 그 곳에는 할머니와 몇몇 사람만이 남아 있었다.

그 무리 중의 한 사람이 할머니에게 말했다.

"할머니, 상자를 열어 보시기 전에 하늘에 제를 올려 허락을 구하는 것이 좋을 듯합니다."

"자네 말이 옳구만. 이왕 바다에서 건져 온 것이니 하늘에 뜻을 물어 보고 상자의 뚜껑을 열도록 하세."

아진의선 할머니는 무릎을 꿇고 앉아 정중히 절을 한 뒤, 경건한 마음으로 하늘에 대고 물었다.

"하늘이시여, 당신의 뜻에 따르겠습니다. 마음을 비우고 상자의 뚜껑을 열어 보겠으니 부디 재앙을 내리지 마십시오."

기도를 끝낸 할머니는 조심스럽게 상자의 뚜껑을 열었다. 상자 속을 들여다본 할머니는 깜짝 놀라 뒤로 물러났다.

그 안에는 비범해 보이는 사내아이 한 명과 일곱 가지 보물, 그리고 하인들이 들어 있었다. 그들은 아무 말도 하지 않은 채 잠자코 있었다.

할머니 주변에 있던 사람들도 뜻하지 않은 일을 당해 그 자리에 돌처럼 굳어 있었다.

'사내아이의 단정한 모습을 보니 보통 집 도련님은 아닌 듯한데……우선 도령과 하인들을 집으로 데리고 가서 잘 대접하도록 해야겠다.'

정신을 차린 할머니는 주변 사람들의 도움을 받아 상자 속의 사람들을 서둘러 집으로 안내했다.

도령의 일행을 집으로 데리고 온 할머니는 7일 동안을 음식을 잘 대접하고 잠자리를 살펴 불편함이 없도록 해 주었다.

하루는 도령이 할머니께 감사의 인사를 드렸다.

"먼저 할머니의 융숭한 대접에 감사를 드립니다. 저는 용성국 사람으로 그 곳에는 스물여덟 명의 용왕이 살고 있습니다. 용왕은 모두 사람의 몸에서 태어나, 대여섯 살쯤 되면 왕위에 올라 백성들을 다스린답니다. 나의 아버지는 함달파왕으로 적녀국의 공주와 혼인을 했습니다. 두 분에게는 큰 걱정거리가 있었는데, 아들이 없다는 것이었지요. 어머니는 7년 동안 지극 정성으로 기도를 드렸답니다. 하늘도 감동했는지 마침내 어머니께서 아이를 가지게 되었답니다. 하지만 그 기쁨도 잠깐, 해산을 하고 보니 큰 알 하나를 낳으셨습니다. 함달파왕은 크게 실망하고 신하들과 의논을 하셨습니다. '사람이 알을 낳다니 이것은 하늘이 노하신 것이 틀림없다. 이 화가 백성들에게 미치기 전에 멀리 떠나보내도록 해야겠다.' 이렇게 작정한 아버님은 다른 사람들의 눈에 띄지 않게 큰 궤짝을 마련하여 알을 그 속에 집어 넣고 일곱 가지 보물과 하인들을 실은 후, 배를 바다로 띄웠습니다. 마지막으로 아버님은 다음과 같은 말씀을 남기셨습니다. '나와는 인연이 아닌 것 같으니 부디 네가 머무를 곳을 찾아 나라를 세우고 잘 살거라.'

아버님의 기원하는 말이 끝나자 구름을 헤치고 붉은 용이 홀연히 나타나 배를 보호해 주었답니다. 그 뒤로 물살에 흘러 이 곳까지 오게 되었습니다."

말을 마친 도령은 다시 한 번 감사의 인사를 드렸다. 그리고 덧붙여 말했다.

"이제 아버님께서 당부하신 대로 저는 할 일을 찾아 이 곳을 떠나야겠습니다. 그 동안 보살펴 주신 은혜에 감사하는 뜻으로 재물을 조금 남겨 두고 가겠습니다."

곧 자리에서 일어난 도령은 두 명의 하인만을 거느린 채 토함산으로 올라갔다. 그 곳에 돌집을 지어 살면서 성 안에 살 만한 집을 고르고 있었다.

7일째 되던 날, 도령은 마침내 자신이 거처할 만한 곳을 발견했다.

"아, 그래 저 곳이야. 초승달처럼 생긴 산봉우리가 있는 저 밑이 아주 좋겠군."

도령은 그 길로 토함산을 내려와 점찍어 둔 곳을 찾았다. 하지만 그 곳에는 이미 호공이란 사람이 살고 있었다.

'이 곳이야말로 내가 찾던 곳이다. 그냥 이대로 물러설 수는 없다.'

마음을 굳힌 도령은 그 곳을 차지하기 위해 꾀를 내었다.

"너희들은 내 말을 잘 듣고 시키는 대로 해라. 저 호공이란 사람의 집에 몰래 숨어들어가 숫돌과 숯을 묻어 두고 오너라."

"예, 분부대로 하겠습니다."

데리고 온 두 하인 중 한 명이 도령의 명을 받아 밤에 호공의 집에 숨어들었다. 캄캄한 밤에 소리를 내지 않고 숯과 숫돌을 묻어 두고는 재빨리 그 곳을 빠져 나왔다.

다음 날, 날이 밝자 도령은 호공의 집을 찾았다.

"계시오? 이 집 주인을 만나러 왔소."

대문을 열고 나온 하인은 어린 도령을 보고는 고개를 갸웃거렸다.

'처음 보는 아이 같은데……'

하지만 어리다고 내쫓기에는 어딘가 범할 수 없는 기운이 느껴졌다. 하인은 주인에게 알렸다.

"주인 어른, 밖에 웬 아이가 드릴 말씀이 있다고 찾아왔습니다. 어떻게 할까요?"

"호, 모르는 아이가 나를 찾아왔다고? 무슨 일일까…… 들어오라고 일러라."

도령은 처음 보는 호공에게 인사를 올리고 찾아온 용건을 말했다.

"제가 이 곳을 찾아온 이유는 내 집을 찾기 위함이오."

"그게 무슨 말인가? 집을 찾으러 왔다니……."

어리지만 당돌한 아이의 말에 호공은 깜짝 놀랐다.

"주인장이 계신 이 집은 내 조상들이 살던 집이었소. 이제서야 내가 이 집을 돌려받으러 온 것이오."

"참, 마른 하늘에 날벼락이라더니, 이 애가 실성을 했나 보다. 여봐라, 당장 이놈을 끌어 내거라."

호공은 도령이 끌려나가고 난 뒤, 기가 막혀 어안이벙벙했다.

"허, 그놈 참 당돌하기도 하다. 난데없이 나타나 이 집을 제 집이라고 우겨 대니……."

하인의 손에 끌려 밖으로 나온 도령은 관청으로 달려가 호공을 고발했다. 이 일을 맡은 관원은 곧 사람을 시켜 호공을 관청으로 들어오라고 일렀다.

"뭐라고? 나는 죄 지은 것이 없는데, 무슨 일로 관청에서 나를 부르더냐?"

"어린 도령이 주인 어른을 고발했다고 합니다."

화가 머리끝까지 난 호공은 씩씩대며 관청으로 달려갔다. 태연하게 호공을 기다리고 있던 도령은 호공이 관청으로 들어서는 모양을 보고는 야릇한 웃음을 띠었다.

관원이 두 사람에게 말했다.

"지금부터 내가 묻는 말에 거짓을 아뢸 시에는 큰 벌을 내릴 테니, 그리 아시오."

판결을 맡은 관원은 먼저 도령을 향해 질문을 시작했다.

"너는 어찌하여 호공이 살고 있는 집을 너의 집이라고 우기느냐?"

"우리 조상들이 살고 있던 곳이 틀림없습니다. 그런데 급한 일이 생겨 잠시 집을 비운 사이에 저자가 집을 차지한 것입니다."

"네 말이 사실이라면 무슨 증거가 있느냐?"

"본래 우리 조상은 대장장이였습니다. 집 안을 파헤쳐 보면 틀림없이 그 흔적을 발견할 수 있을 것입니다."

도령의 조리 있는 말을 들은 관원은 사람을 시켜 호공의 집을 샅샅이 뒤져 보라고 했다. 사람들이 호공의 집으로 몰려갔다.

"이젠 기가 막혀 말도 안 나오네. 이야기를 꾸며도 어찌 저리 잘 둘러댈까? 하지만 잠시 후면 저놈의 거짓말이 들통날 테니 내 참고 기다리기로 하지."

드디어 호공의 집을 수색하러 갔던 사람들이 돌아왔다. 그들은 손에 무언가를 들고 있었다.

"그래, 호공의 집에서 발견된 것이라도 있느냐?"

"예, 뒤뜰에서 이 숫돌과 숯이 나왔습니다."

사실 그것들은 전날 도령의 하인이 그 집에 몰래 숨어들어가 묻어 놓은 것들이었다. 하지만 이 사실을 모르는 관원은 다음과 같은 판결을 내렸다.

　"여기 믿을 만한 증거가 나왔다. 저 어린 도령의 말이 사실임이 확인되었으니, 호공은 즉시 그 집을 돌려 주도록 하라."

　집주인 호공은 관원의 판결을 받고도 얼떨떨하여 그 자리에 멍하니 서 있었다.

　결국 도령의 계획대로 호공의 집은 그의 것이 되고 말았다.

　이 도령의 이름이 탈해다. 알에서 깨서 궤짝에서 풀려 나왔다고 해서 탈해라고 불렀다. 그는 자라면서 점점 그 지혜로움이 여러 사람의 입에 오르내리게 되었다.

　이 소문은 신라의 제2대 임금 남해왕에게도 전해졌다.

　왕은 탈해를 궁으로 불러 그의 사람됨과 슬기로움을 알아본 뒤, 맏공주와 혼인을 시켰다.

　맏공주는 나중에 아니 부인으로 불리게 되었다.

　어느 날 탈해가 동쪽에 있는 토함산에 올랐다가 내려오는 길에 몹시 목이 말랐다.

　"아, 산에 올랐다 내려오니 참으로 상쾌하구나. 그런데 가지고 왔던 물이 다 떨어졌군."

　탈해는 같이 산에 올랐던 하인에게 물을 떠오라고 명령했다. 하인은 물이 있는 곳을 찾아 물을 호리병에 담은 후, 부리나케 주인이 있는 곳으로 달렸다.

　"어휴, 날이 덥기는 덥구나. 목도 마르고……."

　하인도 갈증이 느껴져 들고 가던 물을 한 모금 마시려고 생각했다. 그러다 고개를 가로저었다.

'주인 어른이 마실 물을 내가 먼저 마실 수는 없지. 조금만 참자.'

하지만 다른 한편으로는 표시 나지 않게 마시면 주인이 모를 것이라는 생각이 들었다. 그런데 하인이 물을 한 모금 들이켜는 순간 물병이 입에 딱 달라붙었다.

기겁을 하며 있는 힘껏 병을 잡아당겨 보았으나, 그럴수록 점점 더 달라붙는 듯했다.

'아이고, 이를 어쩐담.'

창피하기도 하고 주인 어른에게 꾸지람을 들을 것이 두려웠으나, 달리 방도가 없어 걸음을 재촉하여 탈해가 있는 곳으로 갔다.

물을 뜨러 간 하인이 입에 병을 달고 나타난 꼴을 발견한 탈해는 한바탕 웃음을 터뜨리고는 이내 큰 소리로 꾸짖었다.

"이놈, 네가 나를 속이고 내가 먹을 물에 먼저 입을 댄 모양이로구나. 벌을 받아 마땅하다."

"잘못했습니다. 죽을 죄를 지었습니다. 다시는 먼저 음식에 손을 대지 않겠습니다."

두 손을 모아 싹싹 빌자, 그제서야 탈해는 고개를 끄덕이고, 병을 하인의 입에서 떨어지게 했다. 그 뒤로 탈해를 모시는 하인들은 그를 속이지 않았다 한다.

신라 제3대 노례왕이 세상을 하직하자, 그 뒤를 이어 탈해가 왕위에 올랐다. 서기 57년의 일이었다.

도령 시절 남의 집을 빼앗은 적이 있다 하여 성을 석씨라 하였다. 신라 제4대 왕에 오른 지 23년 만에 세상을 하직하니, 사람들이 소천구라는 언덕에 그를 묻었다.

## 연오랑과 세오녀

푸른 물결이 일렁이는 동해 바닷가 외딴 집에 의좋은 부부가 살고 있었다. 남편의 이름은 연오랑이고 아내의 이름은 세오녀였다.

이 때는 신라 제8대 아달라왕이 나라를 다스리고 있을 때였다.

연오랑은 바닷가에 나가 고기를 잡기도 하고 바위 위에 난 해초를 뜯기도 하여 시장에 내다 팔았다.

그 날도 연오랑은 아침을 먹고 아내에게 다녀오겠다는 말과 함께 바닷가로 나갔다.

"여보, 조심해서 다녀오세요."

연오랑은 헤엄을 쳐서 근처 바다로 나가 한 바위 위에 올라갔다.

"여기 해초가 많이 있군."

연오랑은 열심히 해초를 뜯어 바구니에 담았다. 웬만큼 뜯었다고 생각하자, 다른 바위로 건너가기 위해 몸을 일으켜 세웠다.

그 때였다. 바다에 떠 있던 바위가 갑자기 물살을 따라 둥실둥실 움직이는 것이 아닌가!

"앗, 어찌 된 일이지? 바위가 흘러가는 듯한데……."

처음에는 설마 했던 일이 시간이 흘러감에 따라 사실로 드러났다. 모래사장에서 멀지 않았던 자기 몸이 이제는 바다 한가운데로 흘러들어 모래사장이 아득히 멀어 보였다.

바위는 연오랑의 초조한 마음을 아랑곳하지 않고 자꾸자꾸 동쪽으로 흘러갔다.

'아, 이를 어쩜담. 지금쯤 세오녀가 내가 돌아오기를 눈이 빠지게 기다리고 있을 텐데.'

이미 바다 한가운데로 접어든 바위는 가는 곳이 정해져 있는 듯이 한 방향으로 쉼 없이 흘러가더니, 이윽고 한 섬나라에 닿았다.

바위는 더 이상 흘러가지 않고 섬나라에 도착한 후, 꿈쩍도 하지 않았다. 연오랑은 할 수 없이 바위에서 내려와 그 곳 바닷가에 발을 내디뎠다.

'여기가 어딜까?'

두려움 반, 궁금함 반으로 이리저리 둘러보던 연오랑은 한 곳에 몰려 있던 많은 사람들과 마주쳤다.

섬나라 사람들도 연오랑이 신기한 듯 가까이 오지 않고, 멀리서 지켜 보기만 했다. 그리곤 저희들끼리 무슨 회의를 하는 듯 잠시 웅성거렸다.

'무슨 얘기들을 저렇게 심각하게 하는 걸까?'

연오랑은 이러지도 저러지도 못하는 상황에서 그들만 멀뚱하게 쳐다 볼 뿐이었다.

회의가 끝난 듯 그들 중에 나이가 지긋한 노인이 조심스레 연오랑에 게 다가왔다.

"어서 오십시오."

노인은 연오랑에게 허리를 굽혀 정중하게 인사를 올렸다. 당황한 연 오랑은 자신도 엉겁결에 허리를 낮추어 예를 올렸다.

"여기는 어디입니까?"

"이 곳은 일본이라는 나라입니다. 당신은 분명 하늘이 우리에게 보내 주신 귀한 분입니다. 이 곳의 왕이 되어 주십시오."

"아니오. 나는 우연히 움직이는 바위에 올라타게 되어 이 곳까지 떠 내려왔을 뿐이오."

연오랑은 노인에게 손을 내저으며 거절했다.

"그것은 필시 하늘의 뜻이 분명합니다."

멀리서 이를 지켜보던 사람들이 어느 새 연오랑의 근처로 와 허리를 굽혀 애원했다.

"우리들의 임금이 되어 주십시오."

"얼마 전부터 이 곳에 우리의 왕이 나타날 조짐을 느끼고 기다리고 있었습니다."

바닷가 사람들은 저마다 한 마디씩 하며 연오랑이 자기들의 왕임을 확신했다. 처음에는 완강히 거절하던 연오랑도 사람들의 말을 듣고 잠시 생각에 잠겼다.

'그래, 저 사람들 말이 맞을지도 몰라. 내가 일하던 바닷가에서 움직이는 바위 하나를 타고 여기까지 흘러온 것을 보면 하늘의 뜻이 틀림없어.'

연오랑은 사람들이 원하는 대로 그들의 왕이 되기로 결심했다.

"좋소. 내 비록 변변치는 않지만 그대들을 위해 열심히 나라를 돌보겠소."

"와, 임금님 만세!"

"드디어 하늘이 우리의 소원을 들어 주셨다."

섬나라 사람들은 어깨춤을 추며 좋아라 했다. 기쁨에 들뜬 사람들 틈에서 연오랑은 한 가지 마음에 걸리는 것이 있었다.

'아, 그렇지만 세오녀를 생각하니 마음이 몹시 무겁구나.'

연오랑은 그 곳의 왕이 되어 나라를 다스렸다.

한편 바닷가로 고기잡이를 간 연오랑을 기다리던 세오녀는 시름에 잠겼다.

'아, 날이 어두워 가는데 어째 서방님은 돌아오시지 않을까?'

남편을 기다리며 맛있게 차려 놓은 밥상을 쳐다보며 걱정이 더해 가자 세오녀는 문밖으로 나섰다.

'달이 참 밝구나. 그런데 왜 이렇게 늦으실까?'

날은 점점 더 어두워져 갔다. 세오녀는 갑자기 불길한 생각이 들었다.

'혹시 무슨 일이라도 생긴 게 아닐까? 아니야, 그럴 리가 없어. 오늘은 날씨도 맑았고, 파도는 잠잠했는걸.'

이 생각 저 생각에 발을 동동 구르던 세오녀는 더 이상 기다릴 수가 없어 바닷가로 나가 연오랑을 찾기 시작했다.

하지만 이미 날이 어두워 사방은 칠흑처럼 캄캄했다.

'아, 파도 소리만 들릴 뿐 아무것도 보이지 않는구나. 내일 일찍 바닷가로 나와 서방님을 찾아야겠다.'

세오녀는 무거운 마음으로 할 수 없이 집으로 돌아왔다.

그날 밤, 세오녀는 뜬눈으로 밤을 지새웠다. 동이 트고 날이 밝기만을 기다렸다. 몸과 마음이 지친 탓에 그녀는 새벽녘에 스르르 잠이 들었다.

한 줄기 햇빛이 세오녀가 잠들어 있는 방을 비추었다. 눈이 부셔 잠을 깬 그녀는 소스라치게 놀랐다.

'어머, 벌써 날이 밝았네. 아, 그렇지. 서방님이 어제 돌아오시지 않았지.'

눈을 뜨자마자 서둘러 바닷가로 나간 그녀는 큰 소리로 남편을 불렀다.

"연오랑! 연오랑!"

하지만 파도 소리에 묻혀 아무 대답이 없었다. 절망감에 싸인 그녀는 헤엄을 쳐 바닷가 근처 바위를 찾아보기로 마음먹었다.

온힘을 다해 이리저리 바위를 찾아보던 세오녀의 눈에 낯익은 물건이 눈에 들어왔다.

"아니, 저건······."

근처 바위를 향해 부지런히 헤엄을 친 그녀가 발견한 것은 다름 아닌 연오랑의 신발이었다. 신발이 있는 바위 위에 올라 그녀는 하염없이 눈물을 흘렸다.

"서방님, 이게 어찌 된 일입니까? 사람은 간 데 없고 신발만 덩그라니 놓여 있으니⋯⋯."

연오랑의 신발을 품에 안은 채 엉엉 울고 있는 세오녀는 살아갈 희망이 없었다.

"서방님, 나 혼자 어떻게 살라고⋯⋯."

울다 지친 세오녀는 이 세상을 하직하리라 작정했다. 연오랑의 신발을 꼭 안은 채 시퍼런 물 속으로 몸을 날리려는 순간이었다.

갑자기 그녀가 서 있던 바위가 스르르 움직이는 게 아닌가! 세오녀는 깜짝 놀라 그 자리에 주저앉고 말았다.

"어머, 이게 어찌 된 일이야? 바위가 움직이잖아!"

연오랑을 그리는 세오녀의 마음을 눈치채기라도 한 듯 바위는 물결을 따라 동쪽으로 흘러갔다.

어느 덧, 바위는 연오랑이 머무르고 있는 섬나라에 도착하자 더 이상 움직이지 않았다.

"이상하네. 물결을 따라 잘 흘러가던 바위가 꼼짝도 하지 않네."

주변을 두리번거리던 세오녀를 섬나라 사람 한 명이 발견했다.

"처음 뵙는 분 같은데, 어디에서 오셨습니까?"

섬나라 사람의 물음에 세오녀는 흠칫 놀라 뒤로 물러섰다. 하지만 이내 나쁜 사람이 아님을 눈치채고 사실대로 말했다.

"저는 바다 건너에 사는 세오녀라고 합니다. 얼마 전에 고기잡이를 나간 서방님이 돌아오시지를 않자 바닷가로 찾으러 나왔다가 여기까지 오게 되었답니다."

"여자의 몸으로 어떻게 여기까지 오셨습니까?"

"이상한 바위에 올라타게 되었는데, 바위가 움직이기 시작하더니 여기까지 데려다 주었습니다."

섬나라 사람은 일전에 보았던 연오랑의 일과 비슷한 상황임을 눈치챘다.

"여기서 잠시만 기다리시오."

그는 재빨리 마을의 어르신께 이 일을 알렸다. 그러자 노인은 곧 연오랑에게 이 일을 알렸다.

"임금님, 바닷가에 웬 낯선 여인이 나타나 남편을 찾으러 왔다고 합니다."

"여인이라니요?"

연오랑은 혹시나 하는 마음으로 노인에게 되물었다.

'세오녀가 온 것은 아닐까? 그럴 리가…… 이 먼 곳까지 어떻게……'

노인은 마을 사람에게서 들은 여인의 이름이 잘 생각나지 않았다.

"낯선 여인의 이름이 세……."

"혹시 세오녀라고 하지 않았습니까?"

"맞습니다. 소식을 전해 준 마을 사람이 세오녀라고 했던 것 같습니다만……."

연오랑은 더 이상 망설일 틈이 없었다. 즉시 하인들을 불렀다.

"여봐라, 너희들은 즉시 바닷가로 나가서 낯선 여인을 잘 모셔 오도록 해라."

임금의 명령을 받고 바닷가로 나간 하인들은 세오녀에게 다가가 공손히 인사를 한 후 정중히 모시었다.

"임금님의 분부이십니다. 어서 궁으로 가시지요."

"옛, 궁궐이라구요? 저는 단지 남편을 찾으러 왔을 뿐인데……."

사람들이 몰려들자, 세오녀는 두렵기도 했지만 혹시 남편을 찾을지도 모른다는 생각에 그들을 따라나섰다.

안내하는 사람들을 따라 궁에 도착한 세오녀는 곧 연오랑이 있는 곳으로 안내되었다.

"아, 당신이 맞구려. 세오녀! 나요, 나 연오랑이오."

고개를 들지 못하고 뒷사람만 따르던 세오녀는 낯익은 목소리에 떨구었던 고개를 번쩍 들었다. 하지만 임금의 복장을 하고 있는 연오랑을 금방 알아볼 수가 없었다.

"진정 당신이 연오랑이란 말씀입니까?"

"그렇소. 그 동안 몸이 많이 상한 것 같소."

"아, 어쩌면 그리 무심하십니까? 그렇게 흔적도 없이 사라지시다니……."

세오녀는 그제야 임금 차림을 한 사람이 연오랑임을 확인하고는 소리내어 울기 시작했다.

미안한 마음에 세오녀를 일으켜 세워 등을 토닥여 주는 연오랑의 눈가에도 눈물이 맺혀 있었다. 사람들도 세오녀가 임금님의 아내임을 확인하고 모두 기뻐했다. 세오녀를 만난 연오랑은 지난 일을 이야기하며 즐거운 시간을 보냈다.

"어머, 그럼 나도 당신이 타고 왔다는 그 바위를 타고 이 곳으로 온 것이군요.'

"그렇군. 이 모든 것이 하늘의 뜻인 것 같소. 앞으로 당신은 이 곳의 왕비가 되어 영원히 내 곁에 있어 주시오."

"제가 왕비가 된다구요?"

바닷가의 가난한 어부 부부였던 연오랑과 세오녀는 섬나라의 왕과 왕비가 되어 그 곳을 다스리게 되었다.

이 즈음 신라에서는 큰 소동이 일어났다. 해와 달이 없어져 온 나라가 컴컴한 어둠에 싸이게 된 것이다.

"여봐라, 이게 무슨 해괴한 일이냐?"

"예, 지금 일관(일기와 천문을 살펴 나라의 운세를 알아내는 관리)을 불러 오라 했습니다. 곧 도착할 것입니다."

일관이 숨을 헐떡이며 왕이 계신 곳에 도착했다.

"일관은 들으시오. 해와 달이 없어져 나라 안이 소란스러우니, 이 무슨 연고요?"

"소인이 하늘을 살펴본즉, 해와 달의 정기가 우리 나라에 있다가 다른 곳으로 옮겨 갔기 때문인 것 같습니다."

"도대체 해와 달의 정기가 어디로 갔다는 말이오?"

"천문을 보니 아마도 섬나라 일본으로 간 듯합니다."

일관의 말을 들은 왕은 난감했다. 하지만 이대로 두고 볼 수는 없는 노릇인지라 즉시 일본으로 사신을 파견했다.

왕의 명령을 듣고 일본으로 건너간 신라의 사신이 연오랑을 만났다.

"그래, 무슨 일로 이 곳까지 나를 찾아왔느냐?"

"지금 신라에서는 해와 달이 기운을 잃어 사방이 어둠 속에 묻혀 있습니다. 일관을 통해 알아보니 두 분이 이 곳으로 옮겨 간 때문이라 합니다."

사신은 일관에게서 들은 말을 그대로 전했다. 즉, 해와 달의 정기인 연오랑과 세오녀가 신라를 떠나 일본으로 건너갔기 때문에 신라는 빛을 잃고 어둠에 싸여 있다고 설명했다.

사신은 덧붙여 왕의 명령을 전했다.

"신라의 왕명으로 두 분을 모시고 오라는 분부를 받았습니다."

"흠, 다시 신라로 돌아가야 한다고……."

연오랑은 신라의 소동을 모른 척할 수는 없는 노릇이었다. 그렇다고 이 곳을 포기하고 돌아가는 일도 쉽지 않았다.

사신이 찾아왔다는 소식을 들은 세오녀가 연오랑에게 물었다.

"신라에서 사신이 왔다고 하던데, 무슨 어려운 일이라도 있습니까?"

"그렇소. 우리가 신라를 떠나온 뒤로 해와 달이 그 빛을 잃어 큰 소동이 난 모양이오."

세오녀도 뜻밖의 일에 놀라는 눈치였으나, 마음을 굳힌 듯 단호히 말했다.

"하늘의 뜻에 따라 이 곳으로 왔으니, 다시 이 곳을 버리고 돌아간다는 것은 올바른 처사가 아닌 것 같습니다. 제가 온 정성을 기울여 짠 비단이 있으니, 사신에게 이것을 가져가게 하여 제사를 지내도록 하는 것이 어떻겠습니까?"

왕비의 말에 연오랑도 고개를 끄덕이며 사신에게 말했다.

"섬나라를 찾아 왕이 된 것은 하늘의 뜻이었소. 지금 모든 걸 포기하고 신라로 돌아간다는 것은 하늘의 뜻을 거역하는 일이 되오. 하지만 난처함에 빠져 있는 신라의 일을 모른 척할 수는 없는 노릇이니, 여기 세오녀가 온 정성을 들여 짠 비단을 가지고 돌아가시오. 그것을 제단에 바치고 하늘에 제사를 드리면 반드시 해와 달이 그 빛을 찾을 것이오."

연오랑이 마련해 준 비단을 가지고 신라로 돌아온 사신이 신라 왕에게 그대로 전했다. 왕은 곧 제사 지낼 준비를 끝낸 후, 세오녀가 짠 비단을 제물로 하여 하늘에 재를 올렸다.

그러자 신기하게도 어둠이 걷히고 해와 달이 그 빛을 찾아가기 시작했다. 그 뒤로 세오녀가 짠 비단은 궁궐에 보관하여 보물로 보존되었다.

그 때 하늘에 제사 지낸 곳을 영일현 또는 도기야라고 부른다.

# 신라의 충신 김제상

예전에는 나라 사이의 친교를 위해 왕족을 상대방의 나라로 보내는 일이 허다했다. 신라 제17대 내물왕 역시 왜나라 왕과의 화친을 위해 이러한 일을 겪게 되었다.

하루는 섬나라 왜왕이 사신을 보내어 요구를 해 왔다.

"신라 왕의 성품이 뛰어나다는 소문을 듣고, 우리 나라 대왕께서 백 제국의 죄상을 신라 왕께 낱낱이 고하라고 일렀습니다. 신라 왕께서 도 이에 성의를 보이시어 왕자 한 분을 우리 나라로 보내셔서 일본의 문화를 배우도록 하십시오."

겉으로는 이웃 나라로 유학을 간다고 하지만, 사실은 왜국의 인질로 잡혀가는 셈이었다. 하지만 두 나라가 평화롭게 지내기 위해서는 이것을 거절할 수는 없는 노릇이었다.

'태자를 보낼 수는 없는 노릇이고, 아직 어리지만 셋째 아들을 보낼 수밖에……'

내물왕은 셋째 아들 미해(미사흔) 왕자를 왜국에 보내기로 작정했다. 미해 왕자는 겨우 열 살의 어린 나이였으므로 신하 박사람을 부사로 하여 함께 떠나 보냈다.

신라의 왕은 이것이 셋째 아들을 마지막 보는 길이 될 줄은 꿈에도 생각지 못했다. 어린 왕자를 왜국으로 보내는 왕의 마음은 찢어질 듯 아팠지만, 겉으로는 내색하지 않았다.

"미해 왕자, 일본의 문물을 잘 배우고 돌아오시오."

왕자는 그런 왕의 마음을 아는지 의젓하게 왕에게 하직 인사를 올리고 일본으로 떠났다.

"아버님, 소자가 돌아올 때까지 몸 건강히 계십시오."

섬나라 왕은 어린 왕자를 볼모로 잡아 둔 채 30년간을 풀어 주지 않았다.

내물왕의 태자 눌지가 신라의 제19대 임금이 되었다. 눌지왕 3년에 고구려 장수왕이 내물왕에게 사신을 보내왔다.

눌지왕이 왕위에 오를 때 고구려 사람들의 도움을 받았기 때문에 신라에서는 고구려의 사신을 극진히 대접했다.

사신은 고구려 장수왕의 뜻을 다음과 같이 전했다.

"왕의 아우이신 보해 왕자의 소문을 그전부터 전해 듣고 뵙고자 합니다."

"아우의 소문이라니요?"

"예, 전하는 말로 보해(복호) 왕자가 매우 지혜롭고 재주 또한 뛰어나다고 들었습니다. 우리 나라의 왕께서는 가까이에서 왕자의 영리함을 보시고 싶어하십니다. 부디 허락해 주십시오."

고구려에 비해 힘이 약한 신라는 화친의 뜻으로 보해 왕자를 먼 고구려 땅으로 보낼 수밖에 없었다. 신하 중에 김무알을 골라 함께 떠날 채비를 시킨 뒤 보해 왕자를 잘 돌보아 주도록 일렀다.

보해 왕자가 떠난 지도 벌써 8년이란 세월이 흘렀지만, 고구려의 왕은 돌려보낼 기미를 보이지 않았다.

신라의 눌지왕이 왕위에 오른 지 10년이 흘렀다. 그 동안 두 아우가 보고 싶은 마음은 간절했지만 왕의 신분으로 내색할 수가 없었다.

'아, 두 아우는 어떻게 지내고 있을까? 어린 나이에 왜국으로 간 미해 왕자는 벌써 몰라보게 변했겠구나. 고구려로 간 총명한 보해 왕자는 지금은 무얼 하고 있을까?'

달빛이 찬란한 밤이면 아우들 생각이 더욱 간절하여 왕은 궁궐의 뜰로 내려와 시름에 잠기곤 했다.

'두 왕자도 내 생각을 하며 저 달을 보고 있을까? 한가한 날이면 내 형제들을 그리는 마음이 뼈에 사무쳐 오는구나.'

눌지왕의 동생들을 그리는 마음은 날이 갈수록 더해 갔다.

그러던 어느 날, 눌지왕은 궁 안의 신하들과 이름난 선비, 장안의 호걸들을 초청하여 잔치를 벌였다.

"여러 해 동안 나라를 위해 많은 일들을 해 주었소. 오늘은 마음껏 술과 음식을 들고 즐겁게 놀기 바라오."

왕의 말이 끝나자, 곧 기름진 음식이 들어오고 풍악이 흘렀다. 그 곳에 모인 사람들은 옆의 사람들과 즐겁게 이야기를 나누며 술잔을 돌렸다.

잔치가 무르익어 사람들의 취기가 돌자, 왕도 분위기에 취해 갔다.

'아, 이런 자리에 내 아우들도 함께 있었으면 얼마나 좋을까?'

초대한 사람 중에 형제끼리 같이 온 사람들이 다정스럽게 이야기를 나누며 웃음꽃이 피는 것을 본 눌지왕은 자기도 모르게 주르르 눈물을 흘렸다.

사람들은 눈물을 흘리는 왕을 보고 당황했다.

"여보게, 임금께서 눈물을 흘리시네그려……."

"웬일이실까? 항상 강한 분이신 줄 알았는데……."

잔치에 모인 사람들이 술렁이기 시작하자, 왕은 이내 눈물을 거두었다.

"임금님, 무슨 일이시옵니까? 소인들에게 말씀해 주십시오."

"말씀해 주십시오."

신하들은 모두 왕께 고민을 들려 줄 것을 간청했다. 왕은 술기운에 괴로운 마음을 털어놓았다.

"오래 전 아버님께선 백성들을 사랑하는 마음으로 그들의 평화로움을 위해 어린 미해 왕자를 섬나라로 보내었소. 살아 생전에 다시는 못

볼 줄도 모르고…… 아버님이 돌아가신 뒤로 주변 나라들의 힘이 매우 강대해져 하루도 전쟁이 끊일 날이 없었소. 또 내가 왕위에 오른 후, 강대국 고구려가 친하게 지내자는 약속을 해 와 그 말을 믿고 둘째 왕자 보해를 머나먼 고구려로 보내게 되었소. 두 아우가 떠난 지도 벌써 십 년이 훌쩍 넘었으니 날이 갈수록 그들을 보고 싶은 마음이 간절하오. 일본과 고구려가 인질로 잡아간 아우들을 돌려보낼 생각을 하지 않고 있으니 상심이 매우 크오. 나는 왕의 자리에 올라 온갖 부귀를 누리고 있으나, 타국에서 쓸쓸히 고생하는 아우들을 생각하면 마음 한 구석이 텅 빈 것처럼 쓸쓸하오. 내 생전에 두 아우를 만나 아버님 사당에 함께 절을 올릴 수 있다면 아버님의 한을 풀어 드릴 수 있을 것이오. 이러한 마음속의 한이 풀린다면 더 이상 바랄 것이 없을 것이며, 앞으로는 더욱더 백성들의 평안을 위해 내 한 몸을 바칠 것이오. 미련한 이 소원을 풀어 줄 사람이 있겠소?"

왕은 그 동안 담아 두었던 마음속 이야기를 솔직히 토해 냈다. 왕이 이야기를 마치자 그 곳에 모인 사람들은 훌쩍거리며 동감의 표시를 했다. 잔치에 모인 사람들은 왕의 고민을 해결해 줄 충성스런 신하를 추천하기 위해 머리를 맞댔다. 여러 사람이 거론되고, 마침내 의견이 모아진 듯 왕에게 아뢰었다.

"두 왕자님을 구출해 내는 일은 쉬운 일이 아닙니다. 이 일을 맡을 사람은 용기도 있어야 하겠지만, 지혜로워야 합니다. 이 곳에 모인 사람들이 여러 사람을 거론했지만, 그 중에 삽라군(경상남도 양산군)의 태수 김제상이 가장 적당한 줄로 압니다."

신하가 아뢰는 말을 들은 왕은 두 아우를 찾을 수도 있다는 말에 귀가 솔깃했다.

"김제상이란 자가 그렇게 대단한 인물이라니 한시바삐 그를 만나보고 싶소.”

왕명을 받은 신하들은 곧 제상에게 기별을 하여 궁궐로 불러들였다. 제상은 임금을 뵙고 예를 갖추어 절을 올렸다.

“호, 자네가 여러 신하들이 추천한 김제상이구려.”

김제상의 늠름한 모습을 본 왕은 내심 흡족했다. 눌지왕은 전후 사정을 김제상에게 들려 준 후, 솔직히 물었다.

“타국에 있는 내 아우들을 데려올 수 있겠나?”

“신하 된 자로서 임금님의 근심이 있으면 일의 쉽고 어려운 것을 떠나 마땅히 한 몸을 내던져 행해야 할 것입니다. 어려움과 쉬운 일을 가려서 행동하는 것은 충성된 신하가 할 짓이 아니며, 죽고 사는 것을 따져 움직이는 것은 비굴한 짓입니다. 제가 비록 재주는 없지만 왕의 근심을 덜어 드리고자 힘써 두 왕자님을 구출해 오겠습니다.”

한편으로는 왕의 마음을 위로하면서, 스스로 위험을 자청하는 김제상의 모습에 감격하여 눌지왕은 덥석 손을 쥐면서 말했다.

“이제야 그대 같은 충신을 만나게 되니 내 마음이 한결 풀리는 듯하오. 부디 성공해서 내 근심을 풀어 주기 바라오.”

왕은 친히 술잔을 건네며 김제상의 용기를 북돋워 주었다.

김제상은 마침내 왕과의 약속을 지키기 위해 배를 띄워 고구려로 향했다.

‘어떻게 해야 고구려 군사들의 눈을 속이고 고구려 땅으로 들어갈 수 있을까?’

그는 고구려 땅이 보이기 시작하자 고구려 사람의 모습으로 변장을 했다. 배에서 내린 제상은 고구려 사람들이 몰려 있는 시장 안으로 숨어들었다.

제상은 약간의 돈을 써서 보해 왕자가 머물러 있는 곳을 알아낸 뒤,

고구려 왕성으로 향했다.

'이 근처에서 왕자님을 만나볼 수 있게 중간 역할을 할 사람을 구해야겠다.'

그는 돈으로 사람들을 매수한 뒤, 보해 왕자님과 연결해 줄 것을 부탁했다.

"자, 이 돈이면 넉넉할 것이오. 어서 보해 왕자님을 만나볼 수 있도록 해 주시오. 일이 끝난 뒤에는 더 드리리다."

그들은 제상이 내미는 돈주머니가 탐나기는 했지만, 선뜻 받으려 하지 않았다.

"안 됩니다. 만약 이 일이 발각되기라도 한다면 우리들의 목숨은 그날로 끝입니다."

제상은 신라에서 가져온 귀한 보물을 내놓았다. 번쩍거리는 보물을 본 그들은 입이 찢어져라 좋아했다.

"알겠소. 신라에서 오신 왕자님을 뵐 수 있도록 고구려 군사들을 매수해 놓겠소. 날이 잡히는 대로 연락드리리다."

이제나저제나 연락을 기다리던 제상에게 드디어 기별이 왔다. 제상은 역시 고구려인으로 변장을 한 채, 날이 어두워지기를 기다려 보해 왕자가 있는 처소로 갔다.

왕자님을 찾기 위해 이곳 저곳을 두리번거리던 그는 달을 바라보며 외로이 서 있는 한 사람을 발견했다.

'아, 저 분이 신라의 왕자님에 틀림없구나.'

어렴풋이 왕자님을 알아 본 제상은 보해 왕자 곁으로 다가갔다.

"왕자님, 드릴 말씀이 있습니다."

은밀히 부르는 소리에 왕자는 고개를 돌렸다. 옆에는 궁 안의 심부름을 하는 사람이 서 있었다.

"누구시오?"

"왕자님, 저는 신라 사람 김제상이라고 합니다. 눌지왕의 명을 받아 왕자님을 모시러 왔습니다."

주변 사람이 눈치를 챌까 낮고 급한 목소리로 속삭였다. 하지만 왕자님은 믿기지 않는다는 듯이 의심스런 눈으로 제상을 바라보았다.

"여기 임금님의 편지가 있습니다. 왕자님을 그리워하며 한시라도 잊지 않고 계십니다."

형님의 애절한 편지를 읽은 왕자의 얼굴에 한 줄기 눈물이 흘렀다.

"왕자님, 5월 보름날 제가 고성 부둣가에 배를 준비시켜 놓고 기다리겠습니다. 약속한 날짜에 맞추어 그 곳으로 나오십시오."

"고맙소. 나도 고국으로 돌아가고 싶은 마음이 간절했소."

그제야 보해 왕자님은 제상의 진심을 믿는 눈치였다.

"고구려의 조정에서 눈치를 채지 않도록 행동한 뒤 약속한 날 그 곳으로 나가겠소. 그럼, 그 때 봅시다."

"왕자님, 이만 물러가겠습니다."

하직 인사를 한 뒤 제상은 그 곳을 재빨리 빠져 나왔다.

제상과의 약속한 날짜가 점점 다가오자 보해 왕자는 아프다는 핑계를 대고는 고구려의 조정에 모습을 나타내지 않는 날이 많았다.

고구려 장수왕은 아끼고 있던 보해 왕자가 조회에 자주 빠진 것을 알고 신하에게 알아 보았다.

"요즘 들어 보해 왕자의 모습을 볼 수가 없으니 어찌 된 일이오?"

"예, 병이 들어 집에서 쉬고 있다고 합니다."

"그래, 그 동안 과로를 했었나 보군."

장수왕의 배려로 신라 왕자는 거처하는 곳에서 쉬면서 조정에 나가지 않았다.

시간은 흘러 드디어 5월 보름날이 되었다.

신라 왕자는 제상과의 약속을 지키기 위해 어두워지기만을 기다렸다.

'이번 일이 잘 되면 보고 싶은 형님을 만나 뵐 수가 있겠구나.'

설레는 마음을 진정시키며 만반의 준비를 끝낸 왕자님은 해가 지자 고구려의 왕성을 빠져 나와 고성 바닷가로 급히 말을 몰았다.

그 곳에 도착한 왕자는 대기하고 있던 제상을 만날 수 있었다.

"오셨군요, 왕자님."

"그 동안 잘 지내셨소? 나 때문에 고생이 많구려."

제상은 기다리던 왕자님을 만나 뵈니 반갑기 그지없었다. 그는 구해 두었던 배가 있는 곳으로 왕자님을 안내했다.

보해 왕자가 궁을 떠나고 난 뒤, 고구려 조정에서도 보해 왕자가 없어진 사실을 알게 되었다.

"뭐라고, 괘씸한지고…… 그 동안 조회에 나오지 않았던 것도 나를 속이려 함이었구나. 뭣들 하느냐? 당장 뒤쫓아가 잡아들이지 않고……."

장수왕은 분을 참지 못하고 길길이 날뛰었다. 왕의 명령을 받은 군사들은 말을 급히 몰아 신라의 왕자를 뒤쫓았다.

보해 왕자가 제상과 함께 배에 오르려는 순간, 고구려의 군사들이 그 곳에 당도하였다.

"여봐라, 왕자가 탄 배를 향해 화살을 쏘아라."

장수의 명령이 떨어졌다. 하지만 그 곳에 당도한 고구려 군사들은 신라 왕자를 죽이고 싶지 않았다.

왜냐하면 보해 왕자가 고구려에 머무는 동안, 주변 사람들과 군사들에게 항상 은혜를 베풀어 왔기 때문이었다.

고구려 군사들은 서로에게 눈짓을 한 뒤, 화살촉을 빼고 활을 쏘아

댔다. 수없이 쏟아지는 화살이 배로 떨어졌지만 제상과 왕자는 무사하였다.

드디어 신라의 왕자는 제상과 함께 무사히 눌지왕에게로 돌아올 수 있었다.

"아우야, 이게 꿈이냐 생시냐? 내 생전에 너를 볼 수 있다니……."

"아, 형님. 이게 얼마 만입니까?"

눌지왕은 보해 왕자를 얼싸안고 감격의 눈물을 흘렸다. 이를 지켜보던 신하들도 기쁨을 함께 나누었다.

하지만 기쁨도 잠시, 보해 왕자를 본 눌지왕은 또다시 섬나라에 있는 미해 왕자 생각이 떠올랐다.

"이 자리에 미해 왕자도 있으면 얼마나 좋을까? 보해를 만나니 미해 생각이 더 간절하구나. 한 몸에 한쪽 팔만 달려 있고, 얼굴에 눈이 한 개만 있는 것 같구나. 한 개를 찾았지만 나머지 한 개를 생각하니 가슴이 미어지는구나."

눌지왕은 눈 앞에 미해 왕자의 모습이 아른거리는 것 같았다.

"형님……."

보해 왕자는 눌지왕을 위로할 말을 찾지 못하고 그저 가만히 바라보고만 있었다.

'임금님께서 보해 왕자님을 보시니 어릴 때 신라를 떠난 미해 왕자님이 더욱더 그리운가 보구나. 내 서둘러 미해 왕자님도 모시고 와야겠다.'

왕자님을 모시고 신라로 돌아온 지 얼마 되지 않은 시간이었지만, 제상은 마음을 굳히고 눌지왕께 작정한 바를 아뢰었다.

"임금님, 이번에는 미해 왕자님을 모시러 섬나라로 떠나겠습니다. 반드시 모시고 돌아올 터이니 염려하지 마십시오."

눌지왕은 깜짝 놀라며 말렸다.

"무슨 소리요? 지금 당장 떠나겠다니…… 내가 보해 왕자를 보니 서러움이 복받쳐 괜한 소리를 했나 보구려. 그만 집으로 돌아가서 쉬도록 하시오."

"아닙니다. 이왕 내친 김에 왜국으로 떠나도록 허락해 주십시오."

이미 마음을 정한 제상을 눌지왕도 더 이상 말릴 수가 없었다.

"정 그렇게 하고 싶다면 더 이상 말리지 않겠소. 부디 몸 건강히 돌아오기를 바라겠소."

제상은 눌지왕에게 두 번 절을 한 뒤 집에 들를 생각도 하지 않고, 곧장 율포 바닷가로 말을 몰았다.

'고구려를 다녀오느라 몇 달이 걸렸구나. 집안 식구들 소식이 궁금하지만 어쩔 수 없는 노릇이다. 미해 왕자님을 생각하면 더 이상 지체할 시간이 없다. 서둘러 섬나라로 가야겠다.'

급히 말을 몰던 제상의 마음 한 구석에서는 은근히 집안 일이 걱정되었다.

한편 제상의 아내는 사람들을 통해 남편의 소식을 듣게 되었다.

하지만 집에 들를 사이도 없이 다시 미해 왕자님을 구하러 섬나라로 떠난다는 말을 듣고 서운한 생각이 들었다.

'아무리 나랏일이 중하다고 하지만, 고구려에서 머문 지가 여러 달이나 되었는데 금세 다시 섬나라로 떠난다니…….'

며칠째 꿈자리가 뒤숭숭했던 제상의 아내는 혹시 이번이 마지막이 될지도 모른다는 불길한 생각이 들었다.

'내가 이러고 있을 때가 아니지. 율포 바닷가로 나가서 서방님을 뵙고 와야겠다.'

제상의 아내는 말을 타고 급히 남편이 떠난다는 바닷가로 내달았다.

하지만 이미 제상은 배를 타고 출발한 뒤였다.

허탈한 마음에 제상의 아내는 떠나는 배를 향해 큰 소리로 불러 보았다.

"여보, 여보!"

하늘도 이들 부부의 마음을 알아 주는지 제상의 귀에 무슨 소리가 들리는 듯했다.

"아니, 어디서 여인의 울부짖는 소리가 들리는 듯한데…… 혹시?"

급히 배 앞으로 나와 바닷가 모래사장 쪽을 바라보던 제상은 멀리서나마 부인의 모습을 볼 수가 있었다.

제상은 부인의 모습을 알아볼 수 없이 먼 거리에 있었지만 아내가 확실하다는 생각에 손을 흔들어 주었다. 부인도 손을 흔들며 작별 인사를 대신했다.

하지만 이것이 그들의 마지막 이별이었다.

배를 타고 섬나라에 도착한 제상은 즉시 왜왕을 찾아갔다.

"당신은 보아 하니 이 나라 백성이 아닌 것 같은데, 무슨 일로 나를 찾아오셨소?"

왜왕이 물었다.

"그렇습니다. 저는 본래 신라 사람입니다. 그런데 평화롭게 살던 우리 가족을 신라 왕이 아무런 이유도 없이 잡아들이더니 결국은 죽이기까지 했습니다. 아버지와 형이 차례로 죽음을 당하고 결국 내 차례가 되자 나는 밤중에 몰래 배를 타고 도망쳐 나왔습니다. 부디 이 곳에서 살 수 있도록 허락해 주십시오."

제상은 왜왕의 마음을 안심시키기 위해 거짓말을 둘러 댔다.

왜왕은 제상의 억울한 사연을 가엾게 여겨 거처할 집을 마련해 주고 그 곳에서 살 수 있도록 허락해 주었다.

그 후로 제상은 자연스럽게 미해 왕자를 만날 수 있었다. 같은 신라 사람이었기에 만난 지 얼마 되지 않아 친한 사이가 되었다.

제상은 왜왕의 신임을 얻기 위해 미해 왕자와 바닷가로 산책을 나가는 날이면 고기를 잡아다 왜왕에게 가져다 주곤 했다.

"변변치는 않지만 성의로 받아 주시기 바랍니다."

"고맙소. 애써 잡은 고기를 번번이 내게 가져다 주시니 고마울 따름이오."

왜왕은 자신을 배려하는 제상의 마음에 감동되어 그를 의심하는 마음을 갖지 않게 되었다.

안개가 사방을 분간할 수 없도록 자욱이 낀 어느 날, 제상은 새벽녘에 미해 왕자가 거처하는 곳을 찾았다.

"왕자님, 일어나셨습니까?"

"들어오시오."

제상은 자리에 앉자마자 서둘러 말을 꺼냈다.

"오늘이 바로 왜병들의 눈을 피해 신라로 떠나시기에 좋은 날인 것 같습니다. 어서 떠날 준비를 서두르십시오."

미해 왕자는 제상의 태도에 심상치 않은 낌새를 눈치챘는지 혹시나 하는 마음으로 물어보았다.

"공은 떠날 준비를 다 하고 오신 겁니까?"

"저는 여기 남겠습니다."

의외의 대답을 들은 미해 왕자는 깜짝 놀라 되물었다.

"무슨 말씀이십니까? 그럼 저 혼자 떠나라는 말입니까?"

"그렇습니다. 소인도 함께 떠나게 되면 이 일이 발각되는 경우 물길에 익숙한 왜병들의 추적을 따돌리기가 힘들 것입니다. 결국 우리 모두 잡혀와 사형을 면치 못하게 될 것입니다. 저는 여기 남아 왜병들

이 뒤쫓지 못하도록 일을 꾸며 시간을 벌겠습니다."

제상의 단호한 결심을 들은 미해 왕자는 가슴이 미어지는 듯했다.

"그리는 못하오. 나 혼자 살자고 이 곳에 당신을 버려 두고 갈 수는 없소. 그 동안 그대를 내 아버지와 형처럼 믿고 따랐는데, 어찌 나 혼자 가라고 하십니까?"

"왕자님, 신하 된 자의 도리는 당연히 임금님의 마음을 살펴 기쁘게 해 드리는 것입니다. 이 곳을 무사히 빠져나가 신라로 돌아가신다면 저에게는 그보다 더한 기쁨이 없을 것입니다. 더 이상 지체할 시간이 없습니다. 어서 떠나십시오."

미해 왕자가 여전히 자리에서 일어서지 못하자, 제상은 준비해 둔 술을 따라 올렸다.

왕자는 더 이상 아무 말도 못하고 제상에게 술을 따라 주었다.

제상은 섬나라에 와 있던 강구려에게 미해 왕자를 모시게 했다. 바닷가로 나간 제상은 왕자 일행이 떠나는 것을 확인했다.

다시 미해 왕자의 거처로 돌아온 제상은 그 곳에 머물러 있었다. 어느덧 아침이 밝아 오고 있었다.

일어날 시간이 다 되었는데도 왕자가 모습을 드러내지 않자, 왜인들은 미해 왕자의 거처로 찾아왔다.

"왕자님, 일어나셨습니까?"

왜인들은 인기척을 내며 미해 왕자의 방으로 들어오려고 했다. 그 때 방에서 제상이 나오며 변명을 했다.

"왕자님께서 아직 주무시고 계시오. 어제 사냥을 나갔다가 몹시 지치신 모양이오. 소란스럽게 하지 말고 물러들 가시오."

"알겠소. 깨어나시면 기별을 하시오."

그들은 제상이 둘러 대는 말을 아무런 의심도 하지 않은 채 믿었다.

시간이 흘러 저녁때가 다 되어가자 왜인들이 다시 찾아와 물었다.

"몸이 많이 편찮으신가 봅니다. 하루 종일 아무것도 드시지 않았는데 무얼 좀 드셔야 하지 않습니까?"

제상은 더 이상 속일 필요가 없다고 생각되자 실토를 했다.

"왕자님은 지금쯤 본국의 땅을 밟고 계실 것이오."

"뭐라고? 그게 무슨 말이오?"

느긋하게 대답하는 제상을 본 왜인들은 기가 막혀 말이 나오지 않았다. 그들은 서둘러 왜왕에게 보고를 했다.

"대체 그게 무슨 말이냐? 미해 왕자가 어디로 갔다고?"

뒤통수를 맞은 듯 잠시 정신을 잃은 왜왕은 이내 상황을 파악하고 병사들에게 명령했다.

"뭣들 하느냐? 어서 빨리 군사를 풀어 뒤를 쫓아라."

"예, 알겠습니다!"

말 탄 왜병들은 급히 말을 몰아 바닷가로 갔으나, 아무것도 발견할 수 없었다.

몹시 화가 치민 왕은 제상을 붙잡아 오라고 명했다.

"이게 어찌 된 일이냐? 어쩌자고 너는 신라의 왕자가 도망치는 것을 도와주었느냐?"

"하하하! 아직도 그 이유를 모르십니까? 신라의 신하 된 도리로 내 나라 임금님의 근심을 덜어 주고자 일을 꾸민 것뿐이오."

의연한 제상의 대답에 왜왕은 소름이 돋는 듯했다.

"허허, 신라를 떠나온 뒤로 이 곳의 사람이 되었거늘 어찌하여 지금에 와서 신라의 신하라고 한단 말이냐? 다시 한 번 묻겠는데, 신라의 신하라고 대답을 할 경우 견디지 못할 형벌을 내릴 것이다. 하지만 왜국의 신하라고 한다면 높은 벼슬과 많은 재물을 주겠다."

왜왕은 제상의 마음을 시험하고 싶었다.

"다시 한 번 묻겠다. 너는 어느 나라의 신하냐?"

제상은 생각할 필요도 없다는 듯이 단호하게 대답했다.

"나는 신라의 신하임을 자랑스럽게 생각한다. 차라리 신라의 개, 돼지가 될지언정 왜국의 신하는 되고 싶지 않다. 신라의 형벌을 받을지언정 왜국의 벼슬과 재물은 받지 않겠다."

"뭐라고, 발칙한 놈 같으니……."

거리낌 없는 제상의 대답에 왜왕은 화가 치밀었다.

"저놈을 당장 끌어내 다리 가죽을 벗기고 갈대를 벤 위를 걸어다니게 하라."

군사들이 우르르 몰려들어 제상을 끌어내었다.

"어디 두고 보자. 네 입에서 왜국의 신하라는 말이 저절로 나오게 해 줄 테다."

제상에게는 발바닥이 벗겨지고 베어 놓은 뾰족한 갈대 끝을 걷는 잔혹한 형벌의 고통은 이루 말할 수 없이 컸다.

'아, 참으로 괴롭구나. 하지만 나는 신라의 자랑스런 신하임이 분명하다. 죽어서라도 본국으로 돌아갈 수만 있다면…….'

갈대 위를 걷는 형벌이 끝나자 제상은 기진맥진하여 거의 정신을 잃을 지경이었다.

"제상은 어느 나라의 신하인가?"

왜왕은 이제는 제상이 굴복했으리라고 생각하고 자신 있게 물었다.

"나는 자랑스런 신라의 신하요."

가혹한 형벌로 인해 잘 떨어지지 않는 입을 겨우 열어 또박또박 대답했다.

"지독한 놈 같으니라고. 여봐라! 뜨겁게 달군 철판을 대령하라."

명령을 받은 군사들은 당황하여 왕의 눈치를 보며 속삭였다.

"대왕께서 몹시 화가 나신 모양이야."

"그러게 말야. 이미 몸을 가눌 수 없을 만큼 가혹한 형벌을 주었는데, 철판까지 가져오라는 것을 보면 말일세. 휴, 저 사람은 이제 살아날 가망이 없는 것 같네."

잠시 후, 제상은 벌겋게 달군 철판 위에 살가죽이 다 벗겨진 두 발로 서 있었다. 그 고통은 갈대 끝을 걷는 형벌과는 비교도 안 될 만큼 혹독한 것이었다.

'아! 인간의 형벌이 참으로 무섭구나. 하지만 이제 조금만 참으면 이 세상을 떠나 자유로운 곳으로 갈 수 있을 것이다.'

제상은 이미 죽음을 각오했기 때문에 고통을 참아 낼 수 있었다.

"마지막으로 묻겠다. 이래도 신라의 신하라고 말할 테냐?"

왜왕은 가혹한 형벌에도 굴하지 않는 제상을 바라보면서 두려움을 느꼈다.

"그렇소. 살아서도 신라의 신하였지만, 죽어서도 신라의 신하로 남을 것이오."

"지독한 놈 같으니라고……."

어떠한 형벌로도 제상의 마음을 바꿀 수 없다는 것을 안 왜왕은 군사들에게 명령했다.

"저 놈을 끌어 내 불태워 죽이도록 하라!"

결국 제상은 목도라는 섬에 끌려가 불에 타 죽고 말았다.

'신라 왕은 참으로 충성심이 강한 신하를 두었구나. 죽음 앞에서도 비굴함을 보이지 않고 저렇듯 당당할 수가 있다니. 신라 왕이 참으로 부럽구나.'

왜왕은 제상의 충성심을 보고 마음속으로 감탄해 마지않았다.

한편 신라로 떠난 미해 왕자 일행은 무사히 도착하여 눌지왕의 곁으로 돌아갈 수 있었다. 눌지왕은 돌아온 미해 왕자를 보고 너무나 기뻐하염없이 눈물을 흘렸다.

"아우야, 어릴 때 신라를 떠난 후 이게 얼마 만이냐?"

"형님, 저를 잊지 않고 이렇게 다시 신라로 돌아올 수 있게 해 주셨으니 뭐라 감사의 말씀을 올려야 할지 모르겠습니다."

눌지왕은 30년 만에 만난 동생을 보니 감개무량하였다. 잠시 기쁨에 들떠 있던 왕은 왜국으로 떠난 제상이 보이지 않자 그제야 물었다.

"제상의 모습이 보이지 않는구나."

"형님. 지금쯤 그 사람은 저를 위해 왜국에 잡혀 있을 것입니다."

"오, 이 일을 어쩐단 말이냐? 참으로 원통한 일이로다."

미해 왕자로부터 제상의 이야기를 들은 왕은 애석한 마음에 목이 메어 말을 할 수가 없었다.

왕은 미해 왕자가 돌아온 것을 축하하기 위해 곧 잔치를 열고 죄수들을 풀어 주어 온 나라 백성들과 기쁨을 함께 나누었다.

그리고 제상의 아내를 궁궐로 불러 국대부인의 칭호를 내리고 딸 중의 한 명을 미해 왕자의 부인으로 정해 주었다.

하지만 어떠한 부귀영화도 제상의 아내에게는 위로가 되지 못했다. 부인은 세 딸을 데리고 치술령에 올라 바다 건너 왜국을 바라보며 울부짖곤 했다.

결국 몸이 약해진 제상의 부인은 죽고 말았다.

후세 사람들은 제상의 아내가 치술령의 산신령이 되었다 하여, 치술령에 사당을 지어 주고 정성들여 제사를 지냈다.

## 편지의 비밀

날씨가 화창한 어느 날, 신라 제21대 비처왕이 신하들과 함께 천천정이라는 누각이 있는 곳으로 산책을 나가게 되었다.

정자의 이곳 저곳을 둘러보던 왕은 까마귀의 우는 소리를 들었다.

"허, 예로부터 까마귀가 울면 좋지 않은 소식이 온다고 하던데……."

왕이 근심스러운 듯이 한 마디 하자, 함께 온 신하들은 당황하여 어쩔 줄을 몰랐다.

"임금님, 그만 궁으로 가시지요."

"아직 바람이 찹니다. 이만 돌아가시는 것이 좋을 듯합니다."

신하들도 왠지 기분이 좋지 않아 왕께 돌아갈 것을 권유했다.

"그럼 돌아갈 채비를 하도록 하시오."

왕이 막 돌아서려는 순간이었다. 발 밑에 찍찍 소리를 내며 쥐 한 마리가 쪼르르 달려와 왕의 신발 위로 기어올랐다.

깜짝 놀란 왕은 발을 들어 쥐를 떨쳐 내려고 흔들었다. 곁에 섰던 신하들이 우르르 몰려들었다.

그 때였다. 발등에 올라 섰던 쥐가 왕에게 급히 말을 했다.

"임금님, 저는 임금님을 물려고 하는 것이 아닙니다. 임금님께 전해 드릴 말이 있습니다."

"아니, 쥐가 말을 하네."

깜짝 놀란 왕은 그 자리에 멈춰 쥐가 하는 말을 들어보았다.

"병사들에게 일러 조금 전에 나뭇가지에서 울었던 까마귀의 뒤를 쫓게 하십시오."

"까마귀의 뒤를 따르게 하라는 말이냐?"

"그렇습니다. 임금님의 신변에 일어날 일을 알 수 있을 것입니다."

할 말을 마친 쥐는 쌩하니 쥐구멍으로 들어가 버렸다. 왕은 무언가 심상치 않음을 깨닫고 병사를 불렀다.

"여봐라. 즉시 말을 몰아 까마귀가 가는 곳을 따라가 보아라."

왕의 명을 받은 말 탄 병사는 까마귀가 날아가는 곳을 뒤따랐다. 까마귀를 따라 남쪽의 피촌이란 곳까지 오게 되었다.

"꿀꿀꿀……."

마을 한 구석에서 돼지 두 마리가 달라붙어 서로 싸우고 있었다. 까마귀를 쫓던 병사는 잠시 한눈을 팔고 돼지들의 싸움을 구경했다.

마을 사람들도 하나 둘씩 모여들기 시작했다. 그 곳에 모인 사람들은 신기한 구경거리가 생긴 듯 넋을 잃고 바라봤다.

"허, 순한 돼지들도 싸움이 붙으니 대단하군."

"저 맞은 편 돼지 좀 보게나. 피가 흐르는 줄도 모르고 달려들지 않나?"

사람들의 감탄 소리에 병사도 처음 본 구경거리에 시간가는 줄 몰랐다. 결국 돼지 주인이 나타나 두 마리의 돼지는 끌려가고 말았다.

그 자리에 몰려 있던 사람들이 하나 둘씩 흩어지자, 병사는 번쩍 정신이 들어 주변을 두리번거렸다.

"아차, 내가 지금 무얼 하고 있었지?"

그제야 까마귀 뒤를 쫓으라는 임금님의 명령이 생각났다. 하지만 주변을 살펴보며 까마귀를 찾았지만 보이지 않았다.

"이를 어쩌면 좋단 말인가? 왕의 명령을 어기게 되었으니……."

땀을 뻘뻘 흘리며 이리저리 돌아다니던 병사는 연못이 있는 한 곳에 이르렀다.

"이대로 왕이 계신 곳으로 돌아간다면 벌을 받을 게 분명한데, 이를 어쩌나?"

병사는 그 자리에 털썩 주저앉아 버렸다. 그 때 갑자기 연못에서 자욱한 연기가 피어 올랐다.

잠시 후 한 노인이 연못에서 나오더니, 병사에게 무언가 건네주었다. 뜻밖의 일에 깜짝 놀란 병사는 얼떨결에 노인이 건네준 편지 한 통을 받아들었다.

"걱정 마시고, 이 편지를 임금님께 가져다 드리시오."

간단히 말을 마친 노인은 스르르 사라져 버렸다. 한참을 그 자리에 멍하니 서 있던 병사는 잠시 후 제정신으로 돌아왔다.

'조금 전에 내가 무얼 본 걸까? 꿈을 꾼 것일까?'

하지만 그의 손에 들려 있는 편지를 보니 꿈은 아닌 듯싶었다. 병사는 말을 몰아 왕이 계신 궁궐로 돌아왔다.

"대왕님, 까마귀의 뒤를 쫓아 당도한 피촌이라는 마을에서 한 노인을 만났습니다. 신령스러워 보이는 그 노인이 제게 편지 한 통을 주었습니다."

병사는 노인에게서 건네받은 편지를 왕에게 전했다.

"편지라고? 흠, 편지 겉봉에 무어라 글이 쓰여 있네만……."

'이 편지를 읽게 되면 두 사람이 목숨을 잃을 것이고, 뜯어 보지 않으면 한 사람이 죽음을 당할 것이다.'

편지 겉봉에 쓰인 내용을 읽은 왕은 놀라서 곁에 있는 신하들에게 물어보았다.

"어떻게들 생각하시오? 노인이 전해 준 편지를 읽는다면 두 명이 죽게 될 테니, 편지를 뜯지 않아 한 사람이 죽게 하는 편이 낫지 않겠소?"

"임금님, 저희들도 그리 생각합니다만, 일관을 불러 물어보는 것이 어떻겠습니까?"

"그게 좋겠군."

잠시 후, 일관이 도착하자 왕이 편지를 보여 주며 물었다.

"그대 생각은 어떠하오?"

일관은 잠시 생각에 잠겼다. 그리고는 이내 서슴없이 말을 꺼냈다.

"임금님, 편지를 열어 읽어 보는 것이 좋을 듯합니다."

"호, 어째서 그렇게 생각하시오?"

"제 판단으로, 두 사람이란 일반 백성을 뜻하는 것이고, 한 사람이란 임금님을 이르는 말입니다."

일관의 설명을 들은 왕은 이를 옳다고 여겨 편지를 뜯어 보았다. 편지에는 다음과 같은 글이 씌어 있었다.

'거문고를 넣어 두는 갑을 쏘시오.'

왕은 무언지 심상치 않은 일이 일어나고 있음을 알고 신하들과 서둘러 거문고 갑이 있는 곳으로 향했다.

비처왕은 그 곳에 당도하자 주저하지 않고 거문고 갑을 향해 활을 쏘았다. 몇 번의 화살을 연이어 쏘아 대자 거문고 갑 안에서 신음 소리가 들려왔다.

"여봐라, 거문고 갑을 열어 보아라."

왕을 따르던 신하들은 서둘러 거문고 갑을 열었다. 그 안에는 궁궐 안에 머물고 있던 스님과 왕의 첩이 숨어 있었다.

"여봐라, 저들을 당장 끌어 내거라."

뜻밖의 상황에 깜짝 놀란 왕은 두 사람에게 다그쳐 물었다.

"묻는 말에 거짓 없이 대답하거라. 무슨 연유로 거문고 갑에 숨어 있었느냐?"

왕의 첩은 일이 발각되자 어떡하든지 살아 남을 방도를 찾았다.

"단지 이 스님이 시키는 대로 했을 뿐입니다. 임금님을 죽이고 난 후

에 모든 것을 제가 원하는 대로 해 주겠다고 했습니다."

무릎을 꿇고 앉은 스님은 아무 말도 하지 않았다.

"괘씸한 놈! 내전에 머무르면서 불공은 올리지 않고 감히 궁녀와 놀아나다니……."

왕은 더 이상 참을 수가 없었다.

"여봐라, 이것들을 당장 끌어내 처형하도록 하라."

결국 두 사람은 죽음을 당했다.

'아, 노인의 말이 맞았구나. 편지를 뜯어 보면 두 사람이 죽게 된다고 하더니만…….'

왕은 얼굴도 보지 못한 신령스런 노인에게 마음속으로 감사의 인사를 올렸다.

그 뒤로 음력 정월 보름날을 오기일(까마귀의 날)로 정하여 찰밥을 지어 까마귀에게 제사 지내는 풍속이 생겼다.


## 도화녀와 비형랑


신라 제25대 임금 사륜왕은 왕위에 오른 지 4년 만에 백성들에 의해 쫓겨났다. 왜냐하면 나라를 다스리는 데 뜻을 두지 않고, 방탕한 생활을 했기 때문이다.

사륜왕은 왕위에 있으면서, 아름다운 여자와 술을 좋아했다.

하루는 정원을 산책하고 있을 때였다.

"여보게, 자네 도화녀를 본 적이 있나?"

"직접 본 적은 없지만 소문은 들었네. 몸매와 아름다운 모습이 복사꽃처럼 아름다워 눈이 부실 정도라지."

"암, 언젠가 흘낏 넘겨다 본 적이 있는데, 내 생전에 그처럼 아름다운 여인은 일찍이 본 적이 없었네."

멀리서 군사들이 나누는 이야기 소리를 듣던 왕은 귀가 솔깃해졌다.

'복사꽃처럼 아름다운 모습을 지닌 도화녀라······.'

왕은 궁궐로 돌아와 한 신하에게 도화녀에 대해 물어보았다.

"혹시 도화녀란 여인을 알고 있느냐?"

"예, 들은 적은 있습니다만······."

신하는 왕의 물음에 선뜻 대답하려 하지 않았다.

"그녀를 찾아서 이리로 데려오너라."

"임금님, 도화녀는 남편이 있는 여자입니다. 남편이 있는 여인을 함부로 데려올 수는 없는 법입니다."

남편이 있다는 말에 왕은 적이 실망하였다. 하지만 도화녀의 아름다움을 직접 눈으로 확인해 보고 싶어 견딜 수가 없었다.

결국 해서는 안 될 명령을 내렸다.

"뭘 꾸물거리고 있는 게냐? 어서 가서 데려오지 않고······."

신하는 하는 수 없이 자리를 물러 나와 도화녀가 거처하고 있는 사량부로 향했다.

"왕의 명령입니다. 도화녀는 궁으로 입궐하시오."

"남편이 있는 여인을 임금님께서 무슨 일로 찾으십니까?"

"가 보면 알 것이오."

부인은 입궐하는 일이 내키지 않았지만, 왕의 명령이 엄한지라 떠날 채비를 차렸다. 안내를 받으며 궁으로 들어오는 여인을 바라보던 왕은 흠칫 놀랐다.

'아, 듣던 대로 대단한 미인이로다. 어디 한군데 흠잡을 데가 없구나!'

왕은 설레는 마음을 감추고 여인에게 가까이 오라고 손짓했다.

"너는 이제부터 궁궐에 머물면서 나를 섬기도록 하라."

생각지도 않은 왕의 요구에 도화녀는 당황스러웠다.

"임금님, 아녀자가 지켜야 할 도리 중의 하나가 두 남편을 섬기지 않는 것입니다. 이것은 나라에서도 권장하는 일이거늘 어찌하여 남편을 둔 아녀자에게 이런 일을 강요하십니까?"

머뭇거림이 없이 똑똑히 자신의 절개를 주장하는 여인을 보니 왕은 한층 더 마음이 끌렸다.

"왕의 명령을 거절할 경우에는 어떤 벌이 내려지는 줄 알고 있느냐?"

"목숨을 잃는 한이 있더라도 남편이 아닌 남자를 따를 수는 없습니다. 차라리 죽여 주십시오."

"그 말이 사실이냐?"

도화녀는 더 이상 아무런 대답을 하지 않고 고개만 끄덕였다. 왕은 더 이상 어쩔 도리가 없음을 알고 마지막으로 물었다.

"네 남편이 죽는다면 그 때는 나를 받아들이겠느냐?"

엉뚱한 왕의 물음에 도화녀는 순간 말문이 막혔다. 여인은 할 수 없이 왕에게 약속을 했다.

"그 때는 임금님의 뜻을 따르겠습니다."

왕은 부인의 약속을 받은 뒤, 비로소 집으로 돌려보냈다.

그 뒤, 사륜왕은 왕위에서 쫓겨나고 그 해에 세상을 떠나고 말았다. 도화녀의 남편도 사륜왕이 죽은 2년 뒤에 죽고 말았다.

남편을 잃은 슬픔에 젖어 있던 어느 날 밤이었다.

'아, 나를 아껴 주던 남편이 저세상으로 간 지도 벌써 열흘이 지났구나. 자식이라도 있으면 의지가 되련만, 앞으로 이 험한 세상을 나 홀로 어찌 살아갈까?'

혼자 방 안에 앉아 이 생각 저 생각을 하고 있는데, 갑자기 어디선가 한 줄기 바람이 불어왔다.

"웬 바람일까?"

한순간에 불어온 바람으로 켜 두었던 초가 꺼져 버렸다. 도화녀가 불을 붙이려 일어서려는 순간, 앞에 누군가 서 있는 것이 보였다.

"누구시오?"

"놀라지 마시오. 나는 사륜왕이오."

부인의 앞에는 살아생전의 모습과 똑같은 얼굴을 한 사륜왕이 서 있었다.

"이 곳은 무슨 일로 오셨나요?"

"나와 한 약속을 잊지는 않았겠지요? 부인의 남편이 죽게 된다면 나를 받아들이기로 한 일 말이오."

부인은 왕의 말에 놀랐다. 하지만 약속은 잊지 않고 있었다.

"예, 임금님께 분명히 약속했지요. 하지만 남편이 없는 지금, 제 마음대로 할 수는 없는 노릇입니다. 부모님께 모든 일을 말씀드리고 허락을 받아야 합니다."

남편을 잃은 마당에도 여인은 몸가짐을 단정히 하고 왕에게 대답했다. 왕은 고개를 끄덕여 허락을 했다.

왕을 홀로 두고 방을 나온 여인은 부모님을 찾아뵈었다. 그간의 일을 자세히 말씀드린 후, 어떻게 해야 할지 여쭈었다.

"거참, 희한한 일도 다 있구나. 살아생전의 약속을 잊지 않고 죽어서까지 너를 찾아오시다니……."

여인의 부모도 난감하여 어떻게 해야 할지를 몰랐다.

"하지만 임금님과의 약속을 어찌 어길 수가 있겠느냐? 약속을 지키는 수밖에 없겠구나."

부모님의 허락을 받은 여인은 왕이 기다리고 있는 방으로 돌아가 7일

동안을 함께 지냈다. 그 동안 여인의 집에서는 이상한 일이 일어났다.

"어머, 저 오색구름 좀 봐. 아씨가 거처하고 있는 곳을 온통 뒤덮고 있네."

"구름뿐이 아니야. 아씨 방에서 흘러 나오는 향기는 어떻고……."

하녀들 몇몇이 모여 귓속말로 수군거리곤 했다.

그렇게 왕은 도화녀와 함께 지낸 지 7일 만에 홀연히 그 모습을 감추고 말았다.

왕이 떠난 뒤, 부인에게 태기가 있어 열 달 뒤 아들을 낳았다. 아이의 이름을 비형이라고 지었다.

이 일은 신라 제26대 진평왕의 귀에까지 들어가게 되었다.

"이미 돌아가신 사륜왕이 한 여인의 집에 나타나 정을 나눈 뒤, 아이를 낳았다는 게 사실이냐?"

"사람을 시켜 알아보니 사실이라고 합니다."

"신기한 일이로다. 그 아이는 필시 여느 아이들과는 다를 것이다. 부인의 의향을 물어본 뒤 궁에 데려다 기르는 것이 좋겠다."

진평왕은 사람을 시켜 부인의 뜻을 알아보라 하였다.

"임금님께서 아드님을 궁으로 데려와 살도록 했으면 하십니다."

"그렇게 하겠습니다. 비록 돌아가신 분의 것이지만, 이 아이에게도 왕족의 피가 흐르고 있습니다."

비형은 곧 궁궐로 들어와 보살핌을 받게 되었다.

어느덧, 비형이 궁궐에 온 지도 십여 년의 세월이 흘렀다. 비형의 나이 15세가 되자, 왕은 집사란 벼슬을 내렸다.

하루는 왕이 비형을 모시고 있던 신하를 불렀다.

"그래, 요즘 비형은 글공부를 열심히 하고 있느냐?"

"그게……."

"무슨 일이 있는 게로구나. 숨김없이 말해 보거라."

비형을 모시던 신하는 비형의 괴이한 행동에 대해 이야기했다.

"도련님이 요즘 들어 밤이면 어디론가 사라졌다가 새벽녘에 돌아오곤 합니다."

"그래, 무엇을 하고 다니더냐?"

"한번은 뒤를 쫓았지만, 바람처럼 휭하니 사라지시니 도무지 뒤를 따를 수가 없었습니다."

왕은 그 날부터 궁에서 내로라하는 날쌘 군사 50명을 시켜 비형이 밤에 나다니지 못하도록 했다.

하지만 비형은 밤이면 월성(경주를 둘러싼 성)을 바람처럼 뛰어넘어 서쪽으로 사라지곤 했다.

왕은 군사들의 보고를 듣고, 며칠이 걸리더라도 비형의 뒤를 밟아 확인할 것을 지시했다.

군사들은 비형이 담을 넘기를 기다려 서쪽에 대기하고 있다가 재빨리 뒤를 쫓았다. 비형은 이 사실을 아는지 모르는지 빠른 걸음으로 서쪽 황천 냇가 언덕 위로 뛰었다.

어두컴컴한 숲 속에 숨은 몇 명의 군사들이 비형이 무얼 하는지 지켜보고 있었다.

"아니, 저것은……."

숨을 죽이고 지켜보던 군사들은 하마터면 소리를 지를 뻔했다. 비형이 언덕에서 신호를 하자 도깨비 떼들이 몰려나왔다.

비형과 도깨비들은 함께 춤을 추기도 하고 놀이도 하면서 어울려 즐기고 있었다.

어느덧 인근의 절에서 새벽을 알리는 종소리가 울려오자, 도깨비들은 허겁지겁 사방으로 흩어져 사라져 버렸다.

혼자 남은 비형은 그제야 정신이 드는지 서둘러 궁으로 돌아갔다. 이 광경을 몰래 지켜본 군사들이 이 사실을 왕에게 고했다.

"허, 비형이 도깨비들과 밤새도록 어울려 논다고?"

왕은 군사들의 말이 믿기지 않았다.

"가서 비형을 불러오너라. 내가 직접 물어보겠다."

왕의 부름을 받고 비형이 왕 앞에 당도하였다.

"듣기로는 네가 밤마다 궁을 빠져 나가 도깨비들과 어울려 논다고 하던데, 사실이냐?"

잠시 대답이 없던 비형은 이미 드러난 사실을 숨기고 싶지 않았다.

"사실입니다."

"그럼 내 한 가지 일을 부탁하겠다. 도깨비들을 데리고 신원사라는 절 북쪽의 개울에 다리를 만들도록 해라."

비형은 왕에게 다리를 놓겠다고 약속을 하고 그 곳을 물러나왔다.

다음 날 밤, 도깨비들을 만나러 간 비형은 그들과 의논을 한 뒤 하룻밤 사이에 큰 돌다리를 만들어 놓았다.

사람들은 그 다리를 귀신들이 만들었다 하여 귀교라고 불렀다.

왕은 말로만 듣던 비형의 소문을 눈으로 확인하자, 내심 감탄했다. 왕은 다시 비형을 불러들였다.

"도깨비들과 어울린다는 말이 사실이었구나. 그들 중에 혹시 나를 도와 세상을 다스릴 만한 자가 있느냐?"

비형은 왕이 대뜸 이렇게 물어오자, 머릿속으로 재주가 뛰어난 도깨비들을 떠올렸다.

"아, 생각 났습니다. 길달이란 도깨비의 재주가 뛰어납니다. 길달이라면 왕의 일을 도울 만합니다."

"그자에게 잘 이야기하여 나에게 데려오너라."

"분부대로 하겠습니다."

그날 밤, 날이 어두워지자 비형은 도깨비들이 몰려 있는 곳으로 가 길달에게 말했다.

"자네 이야기를 임금님께 말씀드렸더니, 자네를 보시고자 하네. 나와 함께 인간 세상을 다스리는 일을 해 보지 않겠나?"

"흠, 도깨비가 인간의 모습으로 변하여 왕의 일을 돕는다고?"

길달은 처음에는 별 흥미가 없는 듯 거절을 했다. 하지만 비형이 계속 설득하자, 이내 마음을 바꾸었다.

"알겠네. 오늘 자네를 따라가겠네."

날이 밝자, 비형은 길달과 함께 궁으로 돌아왔다.

"호, 자네가 길달이라는 자인가?

인간의 모습으로 나타난 길달은 영락없는 사람이었다. 왕은 그에게 집사라는 벼슬을 주었다. 길달은 왕의 기대에 걸맞게 충성을 다했다.

또 왕은 신하 중에 임종이란 사람에게 자식이 없음을 알고 길달을 임종의 아들로 삼게 하였다.

임종은 길달에게 흥륜사 남쪽에 문루를 세우도록 하였다.

"애야, 흥륜사 문루에 다른 귀신들이 얼씬하지 못하도록 지키도록 해야겠다."

길달은 임종의 지시대로 밤이면 문루 위에 올라가 잠을 자곤 했다. 후에 사람들은 그 문을 길달문이라고 불렀다.

인간 세상의 일을 잘 돌보던 길달은 언제부턴가 하던 일에 싫증을 느꼈다. 그래서 여우로 둔갑을 해서 궁궐을 빠져 나갔다.

이 사실을 알게 된 비형은 괘씸한 생각이 들어 귀신들을 시켜 길달을 붙잡아 오게 했다. 그리고는 죄를 물어 죽여 버렸다.

이런 일이 있은 후, 도깨비와 귀신들은 비형의 이름만 들으면 두려워

벌벌 떨었다. 신라 사람들은 비형의 일을 노래로 지어 불렀다.

돌아가신 임금의 정기를 받아 아들을 낳으니
그가 바로 비형 도령일세.
세상에 아무리 험하고 무서운 귀신일지라도
비형이 있는 곳엔 얼씬하지 못하네.

또한 속세에서는 이 글을 써붙여 귀신을 물리쳤다 한다.

## 선덕 여왕의 선견지명

진평왕의 따님이었던 덕만 공주는 어려서부터 그 총명함이 뛰어나 사람들의 입에 오르내릴 정도였다.

아버지 진평왕의 뒤를 이어 우리 나라에서 첫 번째 여왕의 자리에 오른 덕만 공주는 바로 신라 제27대 선덕 여왕이다.

16년간 나라를 다스리면서 여왕이 남긴 세 가지 이야기는 널리 알려져 있다. 여왕의 총명함은 앞일을 내다보는 선견지명이 있었다.

첫 번째 이야기는 모란꽃 그림에 관한 것이다.

하루는 중국 당나라 태종이 여왕에게 선물을 보내 왔다.

"당나라에서 나에게 선물을 보내 왔단 말이오?"

"그렇습니다. 여기……."

한 신하가 상자 꾸러미를 여왕에게 바쳤다. 당 태종이 보내온 선물 상자를 열어 본 여왕은 깜짝 놀랐다.

상자 안에는 세 가지 빛깔의 모란을 그려 놓은 그림과 함께 모란 꽃씨 석 되가 들어 있었다.

"흠, 이게 무얼 뜻하는 것일까?"

여왕은 모란을 그린 그림을 벽에 걸어 두고 한동안 감상했다.

'고운 빛깔의 모란이 탐스럽기도 하구나.'

모란 그림을 이곳 저곳 자세히 살펴보던 여왕은 무릎을 탁 쳤다.

'아, 그런데 그림 속에 나비들이 보이지 않는구나. 이건 필시 남편이 없는 나를 비웃은 것이로구나.'

여왕은 사람을 시켜 모란꽃씨를 가져다 궁궐 안의 정원에 심게 했다.

"모란꽃은 아름답기는 하지만 향기가 없을 것이오."

"옛? 꽃에 향기가 없다니요?"

곁에 있던 신하들이 말도 안 된다는 듯이 되물었다.

"그림을 보면 알 수 있소. 모란꽃이 여러 가지 빛깔로 아름답게 그려져 있지만 나비와 벌이 없는 걸로 봐서 알 수 있소."

여왕의 말대로 궁 안에 심은 모란꽃은 꽃이 피어서 질 때까지 그 향기가 없었다.

선덕 여왕을 모시던 신하들은 여왕의 영민함에 감탄해 마지않았다.

주변 사람을 놀라게 한 두 번째 이야기는 적군의 침입을 알아낸 일이다. 추운 겨울로 접어든 어느 날이었다. 날씨가 쌀쌀하여 여왕은 궁궐 안을 산책하는 것을 삼가고 있었다.

한 신하가 백성들이 올린 글을 들고 들어왔다.

"무슨 일이냐?"

"예, 드릴 말씀이 있습니다. 영묘사 옥문지 근처에 사는 한 백성이 올린 글을 가져왔습니다."

"그래, 그 내용이 무엇이냐?"

"옥문이란 연못에 개구리 떼가 몰려들어 삼사 일 동안 울어 댄다고 합니다."

신하의 말에 여왕은 잠시 어리둥절했다.

"이 한겨울에 개구리 떼가 여러 날을 울어 댄다니…… 참으로 이상한 일이로다."

여왕은 괴이한 일이라고 생각하면서 한편으로는 무슨 일이 있음을 눈치챘다.

'그래, 이것은 하늘에서 불길한 일을 미리 알려 주려는 것인지도 몰라.'

이렇게 생각한 여왕은 급히 두 장수를 불러들였다.

"장수들은 들으시오. 급히 군사 2천 명을 이끌고 서쪽으로 가서 여근곡을 찾으시오. 그 곳을 찾은 후, 숨어 있는 군사들을 없애 버리도록 하시오."

"예, 그렇게 하겠습니다."

두 장수는 날쌘 군사들을 뽑아 급히 말을 몰아 산기슭에 있는 여근곡에 당도했다. 과연 여왕의 말대로 그 곳에는 백제 병사 5백 명이 매복해 있었다.

여왕의 명을 받은 장수들은 백제 병사들에게 틈을 주지 않고 즉시 공격했다. 결국 기슭에 숨어 있던 백제군은 전멸하고 말았다.

그 뒤로 들이닥치는 백제의 후속 부대 역시 닥치는 대로 죽였다.

승리를 거두고 돌아온 두 장수가 여왕에게 경과를 보고했다.

"잘 하셨소. 두 장수 모두 수고하셨소."

"한 가지 궁금한 점이 있습니다."

"말해 보시오."

여왕은 이기고 돌아온 장수들을 바라보며 흐뭇한 표정을 지었다.

"어떻게 백제의 군사들이 그 곳에 있으리라는 것을 아셨습니까?"

"한겨울에 개구리가 떼를 지어 운다는 것을 흔치 않은 일이오. 이처럼 개구리가 화를 내는 것은 병사를 상징하는 것이오. 또 옥문지란 지명이 뜻하는 옥문이란 여자를 뜻하는 말이오. 여자는 음을 나타내고 빛으로 따지면 흰빛이오. 흰빛은 서쪽을 가리키므로 신라에 침입한 적군이 서쪽에 있다는 것을 알았소."

"아, 그렇구나!"

장수들은 여왕의 설명을 듣고 무릎을 치며 감탄했다.

앞일을 예측한 세 번째 이야기는 자신의 죽음을 미리 안 일이다.

하루는 여왕이 신하들을 모이라고 한 뒤 입을 열었다.

"그대들에게 할 말이 있소. 나는 모해 모월 모날에 죽을 운명이오. 그대들에게 부탁하니 나를 도리천 속에 묻어 주시오."

참석한 신하들은 난데없는 여왕의 말에 놀라 어리둥절했다.

"무슨 말씀이신지…… 죽음을 예언하는 말씀도 믿기가 어렵지만, 도리천이라는 곳은 어디를 이르는 것입니까?"

"혼란스러우리라 생각합니다. 도리천이란 낭산의 남쪽을 이르는 말이오."

여왕의 당부 말을 끝으로 회의가 끝나자, 신하들은 여왕이 있는 곳에서 물러나왔다.

"허참, 돌아가실 날까지도 미리 알고 계시다니……."

"믿기지 않는 일일세."

"하지만, 이제까지 여왕님의 신령스러움을 생각한다면 충분히 있을 수 있는 일이라 여겨지네."

조금 전의 여왕이 한 이야기를 떠올리며 신하들은 한 마디씩 주고받았다.

여왕은 자신이 예측한 날에 세상을 떠났다. 신하들은 여왕의 소원대로 낭산의 남쪽에 묘를 정하고 묻어 주었다.

여왕이 세상을 떠나고 십여 년의 세월이 흘렀다. 문무왕이 선덕 여왕의 무덤 아래 사천왕사란 절을 지었다.

비로소 사람들은 여왕이 묘자리를 낭산의 남쪽에 정한 이유를 알 수 있었다.

"아, 여왕님의 신령스러움을 다시 한 번 확인할 수가 있네."

"그게 무슨 소리인가?"

"잘 들어 보게. 불교에서는 사천왕천 위에 도리천이 있다고 했네. 십여 년이 지난 지금 사천왕사란 절이 여왕님의 무덤 아래 자리를 잡았으니 여왕님이 계신 곳이 바로 도리천이란 말일세."

"그럼, 여왕님은 돌아가신 뒤 십여 년의 세월까지도 내다보셨다는 말인가?"

사람들은 혀를 내두르며 여왕의 성스러움에 감탄했다.

## 목숨을 잃을 뻔한 김유신

각간의 벼슬을 맡고 있는 김서현의 큰아들로 태어난 김유신에게는 신기한 이야기가 많이 전해지고 있다.

진평왕 17년에 김서현의 집에서 사내아이가 탄생했다.

"어머, 이것 좀 보세요."

아기를 목욕시키던 유모가 소리를 질렀다.

"아니, 등에 북두칠성의 무늬가 있네."

하늘의 정기를 받고 태어난 유신의 등에는 7개의 점이 새겨져 있었다.

"이 아이는 자라서 필시 큰 인물이 될걸세."

유신의 부모님은 아기의 몸을 살펴보며 흡족해했다. 아이는 자라서 나이가 18세가 되자 신라 화랑의 우두머리가 되었다.

유신은 화랑의 무리들을 이끌었는데, 그 중에 백석이란 자가 있었다.

"저자는 도무지 알 수 없는 인물이로군. 예전의 살아온 일에 대해서는 아무런 말도 하질 않으니……."

"그러게 말일세. 어디서 살았는지 어디서 왔는지 한 마디도 하지 않으니 도대체 알 수가 없는 사람이야."

하지만 백석은 다른 낭도에게 피해를 준 적은 없으므로 사람들의 미움을 사지는 않았다.

화랑의 우두머리가 된 유신은 늘 머릿속에 고구려와 백제를 이길 방도를 궁리하고 있었다.

'아, 어떻게 하면 두 나라를 쳐부수고 통일을 이룰 수 있을까?'

이러한 유신의 마음을 눈치챈 백석이 유신을 찾아와 슬쩍 떠보았다.

"요즘 들어 안색이 좋지 않은 것 같습니다. 이제 신라도 고구려와 백제에 대항할 계획을 세워야 하지 않습니까? 그러시려면 항상 몸을 소중히 보전하셔야 합니다."

"호, 자네도 그렇게 생각하는가?"

유신은 백석의 마음이 자신의 생각과 들어맞자 자신의 고민을 털어놓았다.

"그렇다면 저와 함께 적국의 사정을 알아보는 것이 어떻겠습니까? 일을 행하기 전에 그들 나라의 상황을 미리 관찰해 두는 것이 좋을 듯합니다."

백석의 말에 따라 유신은 그와 함께 어둠을 틈타 고구려로 길을 떠났다. 신라를 떠나 한참을 온 유신 일행이 고개를 넘어 숨을 돌리고 있을 때였다. 난데없이 두 여인이 나타나 유신의 주변을 서성댔다.

다시 길을 떠나려고 하는데, 두 여인도 멀찍이 유신 일행을 뒤따라왔다. 골화천에 이르러 뒤를 돌아다보니, 어느 새 또 한 명의 여인이 새로 나타나 그들의 뒤를 쫓고 있었다.

유신은 세 여인을 보고 이상한 느낌이 들었다.

'우리와 가는 방향이 같은 것일까? 우리 뒤만 계속 쫓고 있는 듯한데……'

유신은 어느 새 세 여인과 인사를 나누고 간단한 대화를 주고받게 되었다.

"이것은 제가 가지고 온 과일인데, 드셔 보세요."

"고맙습니다."

여인들은 싱싱해 보이는 과일을 유신에게 건네주었다. 점점 시간이 흘러갈수록 유신은 여인들이 낯설지가 않았다.

유신은 자신이 마음먹었던 일이며, 앞으로의 계획 등 마음속 깊은 이야기까지 여인들에게 들려주었다.

"그럼 지금 어디를 가시는 길입니까?"

세 여인 중 한 여인의 물음에 유신은 망설임 없이 사실대로 말했다.

"고구려를 칠 계획을 세우기 전에 그들의 형세를 살피러 떠나는 길입니다."

여인들과 여러 가지 이야기를 나누었던 유신은 그들에 대한 믿음이 있었기 때문에 솔직히 대답해 주었다.

그러자 함께 길을 떠났던 백석이 한눈을 파는 사이에 한 여인이 귓속말로 유신에게 속삭였다.

"긴히 드릴 말씀이 있습니다. 같이 오신 분에게 잠시 기다리라고 한 뒤 저 숲 속으로 저를 따라오십시오."

세 여인의 표정이 심상치 않음을 깨닫고 유신은 긴장했다.

"알겠소."

여인들은 백석을 속이기 위해 이별의 인사를 했다.

"그럼, 잘들 다녀오세요. 우리는 이쪽 길로 가려고 합니다."

유신 일행에게 고개를 숙여 인사를 한 여인들은 맞은편 길로 떠났다. 여인들이 떠나고 얼마간의 시간이 흘렀다.

함께 가던 백석을 돌아보며 유신이 한 마디 했다.

"여보게, 여기서 쉬면서 잠깐 기다리게. 조금 전에 여인들과 헤어진 곳에 물건을 놔두고 온 걸 깜빡했네."

"다녀오십시오. 이 곳에서 기다리겠습니다."

아무런 눈치를 채지 못한 백석을 뒤로 하고 유신은 오던 길을 향해 뛰었다. 여인들은 유신이 돌아오기만을 기다리고 있었다.

"아, 저기 뛰어오는 사람이 맞는 것 같은데……."

숨을 헐떡이며 나타난 유신을 보자 세 여인의 얼굴에 미소가 떠올랐다. 유신이 여인들 앞에 당도하자, 이상한 일이 벌어졌다.

갑자기 연기가 사방에 피어오르더니, 세 여인은 온데간데없고, 세 분의 신령님이 그 곳에 모습을 드러내었다.

"아니, 당신들은……."

"우리들은 내림, 혈례, 골화를 지키는 산신령이오. 당신이 곤경에 처해 있는 것을 보고 알려 주러 온 것이오. 함께 동행하고 있는 백석이란 사람은 당신을 유인하여 죽이려 하고 있소."

유신은 산신령이 들려준 말에 소스라치게 놀랐다.

"백석이 나를 죽이려 꾀어내고 있다니……."

조심하라는 당부의 말과 함께 산신령들은 모습을 감추었다. 유신은 산신령들의 고마움에 답하기 위해 그들이 떠난 자리에 두 번의 절을 올렸다.

유신은 다시 백석이 기다리고 있는 곳으로 돌아와 태연히 말했다.

"이걸 어쩌면 좋단 말인가?"

"왜 그러십니까?"

"분명 숲 속 어딘가 내가 준비한 문서를 두고 온 것 같은데, 아무리 찾아보아도 보이질 않으니…… 암만해도 집에 두고 온 것 같네."

백석도 유신의 난감한 표정에 어쩔 줄을 몰랐다.

"그렇게 중요한 물건이라면 다시 돌아가는 수밖에 없지 않습니까?"

"미안하네."

유신은 짐짓 아쉬운 표정을 짓고 다시 신라로 돌아왔다.

집에 이르자, 유신은 화랑들로 하여금 백석을 결박하도록 명령했다.

"저놈을 꽁꽁 묶어 내 앞에 대령시켜라."

화랑 몇 사람이 달려들어 어리둥절해하고 있는 백석을 붙잡아 밧줄로 묶었다.

"네 이놈, 네가 감히 나를 해치려 드느냐?"

유신의 호령 소리에 놀란 백석은 고개를 절레절레 흔들며 사실을 부인했다.

"무슨 말씀입니까? 저는 단지 공과 함께 적국의 동태를 살피려 한 것뿐인데……."

"이놈, 아직도 정신을 못 차렸구나."

서릿발 같은 다그침에 백석은 결국 실토를 하고 말았다.

"그렇습니다. 저는 신라 사람이 아니고 고구려의 신하입니다. 왕명을 받들고 공을 찾아오게 되었습니다. 모든 것을 있는 그대로 말씀드리겠습니다."

백석이 들려 주는 이야기는 다음과 같았다.

고구려에 이상한 조짐이 일어났다. 국경 근처의 물이 거꾸로 흐르는 일이 생긴 것이다. 당황한 왕은 곧 점술가를 불러오라고 명령했다.

"어째서 이와 같은 일이 일어나느냐?"

불려온 점술가는 추남이라는 유명한 점쟁이였다. 추남은 잠시 점을 치더니 머뭇거렸다.

"뭘 꾸물대고 있느냐?"

"말씀드리기 송구스럽습니다만, 왕비께서 옳지 않은 일을 하신 것 같습니다."

추남은 왕비도 있는 자리에서 이와 같이 말하는 것이 여간 힘들지 않았지만, 할 수 없이 점괘가 나온 대로 아뢰었다.

"지금 뭐라 했느냐? 내가 어쨌다고……."

성이 몹시 난 왕비는 얼굴이 붉으락푸르락해져 크게 화를 냈다.

"저 요사스런 말을 하는 자를 어찌 그냥 내버려두십니까?"

왕은 추남의 말을 믿어야 할지 아니면 해괴한 말을 한 죄로 혼을 내야 할지 난감했다.

그 때, 이를 지켜보던 한 신하가 나섰다.

"임금님, 제게 좋은 생각이 있습니다."

어려운 상황에 처한지라 왕은 신하의 말에 귀가 솔깃했다.

"그래, 이 일을 어찌했으면 좋겠는가?"

"점술가가 용한지를 시험해 보는 것입니다."

"그래, 어떤 방법으로 알아본단 말이냐?"

신하는 곧 상자 하나를 준비시킨 후, 쥐를 그 속에다 넣었다. 그리고 나서 점술가에게 말했다.

"이 속에 든 것이 무엇인지 알아맞히면 너의 말을 믿을 것이지만, 그렇지 못할 때는 왕비를 희롱한 죄로 죽음을 면치 못할 것이다."

왕은 추남을 향하여 엄한 소리로 말했다. 그리고는 추남에게 신하가 준비한 상자를 내밀었다.

"자, 이 속에 든 것이 무엇이냐?"

추남은 잠시 점을 쳐 보더니 자신 있게 대답했다.

"제가 알기로 상자 안에는 여덟 마리의 쥐가 들어 있습니다."

"하하하."

왕과 왕비는 추남의 말이 우습다는 듯이 통쾌하게 웃었다.

"그래, 네 말대로 상자 안에는 쥐가 들어 있는 것이 분명하다. 하지만……."

상자 안의 물건을 확인시키기 위해 왕은 신하를 시켜 상자 뚜껑을 열어 보도록 했다.

"쥐 한 마리가 있을 뿐이다."

"임금님, 저자는 사악한 자입니다. 왕비님께 허튼 소리를 했으니 죽여 마땅합니다."

쥐의 숫자를 알아맞히지 못한 추남을 향해 여러 신하들이 벌을 줄 것을 청했다.

"여봐라, 저놈을 당장 끌어내 목을 베라."

대기하고 있던 군사들이 우르르 몰려들어 추남을 끌어냈다. 그는 끌려나가면서 억울한 듯이 표독스럽게 쏘아붙였다.

"두고 보시오. 내 죽어서라도 다른 나라의 장수로 태어나 이 나라를 멸망시키고 말 것이오."

"저놈이 여기가 어디라고 함부로 입을 놀리는 게냐?"

왕은 끌려나가는 추남이 원한이 맺힌 말을 쏟아 내자 속으로 뜨끔했다. 그리고 서둘러 사악한 점쟁이를 죽이고 난 왕은 혹시나 하는 생각이 들었다.

'혹시 내가 무얼 잘못한 것은 아닐까?'

몹시 억울해하며 독설을 내뱉고 죽은 점술가가 마음에 걸린 왕은 문득 상자 안을 들여다보았다.

"앗, 이럴 수가……."

상자 안에는 방금 어미 쥐가 낳은 새끼 쥐 일곱 마리가 꼬물대고 있었다.

'아, 어쩌면 좋단 말인가! 점술가의 말대로 어미 쥐와 새끼 쥐를 합하면 여덟 마리가 맞구나.'

유능한 점쟁이를 죽인 것을 후회했지만, 이미 어쩔 도리가 없었다.

마음이 울적한 왕은 그날 밤, 늦게야 잠이 들었다. 꿈속에 점술가 추남이 나타나 신라 서현 공의 부인(김유신의 어머니) 품으로 들어가는 것을 보았다.

다음 날, 신하들이 모인 자리에서 왕은 지난 밤 꿈에 본 일을 이야기하였다.

"추남이 한 부인의 품으로 들어가는 꿈을 꾸었소."

"임금님, 혹시 추남이 마지막으로 남긴 말대로 되는 것이 아닐까요?"

"마지막으로 남긴 말이라면……."

신하들은 추남이 적국의 장수가 되어 고구려를 망하게 하겠다는 맹세를 기억해 내고는 긴장했다.

"임금님, 추남은 보통 점쟁이가 아니기 때문에 일찍부터 싹을 없애야 합니다. 신라에서 다시 태어난 추남을 데려와 없애 버려야 합니다."

왕은 고개를 끄덕여 신하들의 말에 동조했다. 그 뒤, 꿈에 본 서현 공의 부인이 유신을 낳았다.

유신이 어느덧 자라 청년이 되자 기회를 엿보던 고구려에서는 백석을 보내 화랑의 무리에 섞이도록 하였다.

그리고 백석은 고구려 왕의 명대로 유신을 자기 나라로 유인해 간 뒤, 없애려고 했던 것이다.

이야기를 마친 백석은 무릎을 꿇고 유신의 처분만을 기다렸다. 결국 고구려의 첩자 백석은 사형을 당했다.

유신은 하마터면 목숨을 잃을 뻔한 자신을 도와준 산신령에게 보답하고자 정성을 다하여 제사를 지냈다.

## 김유신의 누이들

김유신에게는 두 명의 여동생이 있었다. 그 중 문희라는 여동생은 신라 29대 태종무열왕 김춘추의 왕비가 되었다.

태종무열왕이 김유신의 여동생 문희를 부인으로 선택한 것에는 숨은 이야기가 있다.

유신의 두 동생 중 보희는 문희의 언니였다. 하루는 보희가 문희의 처소에 찾아왔다.

"문희야, 좀 들어가도 되겠니?"

"언니, 들어오세요."

동생의 처소를 찾은 보희는 동생과 이런저런 이야기를 나누었다. 그러다가 지난 밤에 꾼 꿈 생각이 나자 까르르 웃었다.

"언니, 어제 재미난 일이라도 있었나요?"

"재미있는 일? 그래 있었고말고."

"무슨 일인데? 내게도 이야기 좀 해 줘요."

동생 문희는 언니 곁으로 바짝 다가앉으며 궁금한 듯이 물었다.

"응, 어젯밤 꾼 꿈이 하도 괴상해서 말이야."

"신기한 꿈이라도 꾸었나요?"

"글쎄, 내가 서쪽에 있는 산 위에 올라서 말이야……."

보희는 조금 부끄러운지 잠시 말을 멈추었다. 동생은 눈을 말똥말똥

뜨며 언니의 다음 말을 기다렸다.

"소변을 보았는데, 그 물이 서울에 가득 차 넘치는 꿈이었어."

동생은 언니의 꿈 이야기를 듣고 잠시 생각에 잠겼다.

'물이 신라에 가득 찬 것은 필시 좋은 징조를 나타내는 듯한데……'

망측하게만 여기는 언니에게 문희는 선뜻 제안을 했다.

"언니, 그 꿈이 싫으시다면 제게 그 꿈을 파세요."

"어머, 그게 무슨 소리냐? 내 꿈을 사겠다고?"

꿈 이야기를 한 언니는 동생 문희가 진지하게 말을 건네 오자, 순간 당황스러웠다.

"그럼 무엇으로 꿈을 살 테냐?"

"언니가 전부터 갖고 싶어 했던 비단 치마를 줄게요."

보희는 문희의 비단 치마가 은근히 욕심이 났다.

"그럼 그렇게 하려무나. 자, 그럼 내 꿈을 네게 준다."

보희는 동생에게 어젯밤에 꾼 꿈을 팔고 비단 치마를 얻었다.

그런 일이 있은 뒤, 열흘이 지나 정월 보름이 되었다. 유신은 친구 김춘추를 불러 공을 차며 함께 놀았다.

유신은 춘추가 앞으로 큰일을 해 낼 사람이라고 믿고 있었다.

'저 사람은 재주가 아주 많은 사람이니, 내 사람으로 만들어야겠다.'

마음속으로 이렇게 작정한 유신은 공을 차는 체하면서 춘추의 옷고름을 밟았다.

"앗!"

유신이 밟은 옷고름이 옷에서 떨어지자 춘추는 순간 당황했다. 유신은 머리를 긁적이며 춘추에게 다가갔다.

"이런 실수를 하다니……. 미안하네. 여기서 우리 집이 가까우니 함께 집으로 가서 옷고름을 꿰매도록 하세."

춘추와 집으로 돌아온 유신은 여동생 보희를 불렀다.

"보희야, 내가 공놀이를 하다가 그만 친구의 옷고름을 밟고 말았구나. 실과 바늘을 가져다 저분의 옷고름을 달아 주렴."

하지만 보희는 이맛살을 찌푸리며 내켜 하지 않았다.

"남녀가 유별한데, 어찌 함부로 낯선 남자의 옷고름을 달아 주라 하십니까?"

보희가 단번에 거절을 하자, 유신은 문희를 불렀다.

"네가 이분의 옷고름을 달아 주겠니?"

문희는 싫은 내색이 없이 오라버니가 시키는 대로 춘추의 옷고름을 꿰매 주었다. 고마움을 느낀 춘추는 그 뒤로 자주 유신의 집을 찾아 문희를 만났다.

춘추가 여동생에게 호감을 느끼는 것을 안 유신은 마음속으로 기뻤다. 얼마 지나지 않아, 문희의 몸에 태기가 있었다.

이 사실을 알게 된 유신은 문희를 불러다가 거짓으로 혼을 냈다.

"아직 혼인도 하지 않은 처녀가 애를 가지다니! 가문의 명예에 먹칠을 했구나. 너는 죽어 마땅하다."

오라버니의 호통 소리에 놀란 문희는 고개를 들지 못했다. 유신은 집안 사람들에게 동생이 임신한 사실을 알렸다.

"글쎄, 작은아씨가 애를 가졌다는구만."

"아이구, 저를 어째. 아직 혼인도 하지 않았는데……."

"집안에서는 일을 저지른 아씨를 불태워 죽이겠다고 한다네."

이 소문은 사람들의 입에서 입으로 전해져 온 나라 사람들이 알게 되었다.

'내가 계획한 대로 일이 잘 진행되고 있구나. 이렇게 소문이 났으니, 그 다음엔 왕이 남산으로 행차하는 날을 잡아 일을 벌려야겠다.'

유신은 선덕 여왕이 그의 집이 훤히 내려다보이는 남산으로 산책할 날만을 손꼽아 기다렸다.

며칠 뒤, 선덕 여왕이 조카인 춘추를 비롯한 몇 명의 신하와 함께 남산으로 나들이를 나왔다.

이 때를 기다리던 유신은 하인들을 불렀다.

"땔나무을 준비하거라. 오늘은 문희를 불태워 죽이기로 한 날이다."

유신의 엄한 명령에 눈치만 보고 있던 하인 중 하나가 나섰다.

"서방님, 부디 노여움을 푸십시오."

"네놈이 주인의 명을 거절할 셈이냐? 여기서 함부로 입을 놀리는 자가 있다면 함께 엄벌에 처할 것이다."

유신의 마음을 돌이킬 수 없음을 안 하인들은 시키는 대로 할 수밖에 없었다.

"가서 문희를 데려오너라."

오라버니가 꾸민 일을 눈치채지 못한 문희는 서러운 나머지 눈물만 하염없이 흘렸다.

'아, 야속한 분 같으리라고. 춘추 공과 인연을 맺게 해 줄 때는 언제고 이제 와서 나를 불태워 죽이려고 하시다니…….'

오라버니에게 매달릴 새도 없이 문희는 기둥에 몸이 묶이고 말았다.

"나무에 불을 붙이거라."

유신은 문희 앞에 놓은 땔나무에 불을 붙일 것을 명령했다. 시뻘건 불길과 연기가 하늘 높이 치솟아 올랐다.

그 때 남산 위를 산책하던 여왕이 그 불길을 보았다.

"저게 어디서 나는 연기냐?"

선덕 여왕을 모시고 있던 신하가 대답했다.

"예, 유신 공의 집에서 올라오는 불길입니다."

"불이 난 것 같구나. 어서 가 보거라."

"임금님, 불이 난 것이 아닙니다. 사실은 누이동생을 불태워 죽이려는 것입니다."

"그게 무슨 소리냐?"

한 신하가 유신의 누이동생이 외간남자의 애를 가진 사실을 아뢰었다.

"흠, 처녀가 애를 가진 죄를 물어 죽이려 한다? 그럼 문희를 그렇게 만든 자가 누구라고 하더냐?"

선덕 여왕 곁을 지키고 있던 춘추의 얼굴이 달아올랐다. 죄인처럼 아무 말도 못하고 마치 돌처럼 굳어 있었다.

춘추는 더 이상 사실을 숨길 수 없음을 깨닫고, 여왕 앞으로 나왔다.

"임금님, 제가 한 짓입니다. 죽여 주십시오."

조카가 저지른 일임을 안 여왕은 깜짝 놀라며 다그쳤다.

"무책임한 놈 같으니! 어서 빨리 유신 공의 집으로 뛰어가 이 일을 멈추게 해라."

그 자리를 물러나온 춘추는 유신의 집으로 내달았다.

"멈추시오!"

춘추는 유신의 집 대문을 열고 뛰어들어가 큰 소리로 외쳤다. 그는 유신을 찾아 사과의 말을 하고 불을 끄도록 했다.

"내 잘못이오. 왕께서도 문희와의 혼인을 허락하셨으니, 조금만 참으시오."

유신의 바람대로 춘추와 문희는 많은 사람들이 지켜보는 가운데 혼례를 치르게 되었다.

김춘추는 진덕 여왕이 세상을 떠나자 신라 제29대 왕이 되었다. 8년 동안 나라를 다스리다 59세의 나이로 세상을 떠났다.

유신과 더불어 삼국 통일의 큰일을 해 낸 김춘추는 태종무열왕으로 불리고 아내 문희는 왕비가 되어 문명 왕후로 불리었다.

## 백제의 마지막

백제의 31대 의자왕은 어려서부터 용맹스럽고 효성스러워 널리 사람들의 입에 오르내렸다. 하지만 해동의 증자로 불리던 그는 왕위에 오른 후부터는 방탕한 생활을 즐기면서 나라의 일은 제대로 돌보지 않았다.

충신 성충이 목숨을 걸고 의자왕에게 간했다.

"지금 백제는 나라 안이 몹시 어지럽고 혼란스럽습니다. 부디 나랏일을 살피시어 훌륭한 뜻을 펴시기 바랍니다."

"저놈이 지금 누굴 훈계하고 있느냐? 꼴도 보기 싫으니 당장 옥에 가두어라."

성충은 옥에 갇혀 있으면서도 나라의 장래를 걱정하였다.

"아, 임금은 술과 여자에 빠져 있으니, 앞으로 이 나라는 어찌 될까?"

자신의 몸을 돌보지 않고 시름에 잠긴 성충의 몸은 날로 쇠약해져 갔다.

"이제는 더 이상 버틸 힘이 없구나. 내 목숨도 다한 것 같으니, 마지막으로 임금님께 올리는 글을 써야겠다."

성충은 붓을 들어 임금에게 올리는 상소문을 썼다.

신 성충이 죽기 전에 마지막으로 글을 올립니다. 신이 나라의 정세를 살펴보니, 곧 전쟁이 일어날 것 같습니다. 전쟁에서 군사를 다룰 때는 땅의 형세를 잘 다루어야 합니다. 상류 지역에 군사를 대기시켜 놓고 적을 맞는다면 이 전쟁에서 이길 수 있을 것입니다.

만일 연합군이 쳐들어 온다면 육지로는 탄현을 넘지 못하게 경계하시고, 강으로는 기벌포를 지켜 막아야 합니다. 이렇듯 험한 지형을 이용하여 적군을 막아 내야 합니다.

구구절절한 성충의 마지막 상소문에도 의자왕은 아랑곳하지 않았다.

"흥, 이게 다 무슨 소리란 말이냐? 이렇게 태평스러운데, 누가 감히 쳐들어 온다고 저 난리냐?"

하지만 백제가 망하기 일 년 전쯤 이곳 저곳에서 이상한 조짐이 일어나곤 했다.

오회사라는 절간에 붉은색 말 한 마리가 나타나 밤낮을 가리지 않고 여섯 번이나 돈 일이 생겼다.

또 2월이 되자 궁궐 안이 소란스러웠다.

"아니, 저게 무엇이냐?"

"여우 떼인 것 같습니다."

궁 안에 있던 신하들은 난데없는 여우의 무리를 보고 놀라자빠졌다.

"뭣들 하느냐? 어서 군사들을 불러 궁에서 멀리 내쫓지를 않고……."

명령을 받은 군사들은 활과 화살을 동원하여 쏘아 대기 시작했다. 빗발치는 화살에 놀란 여우 떼들이 여기저기로 흩어졌다.

그 때 여우의 우두머리인 듯한 흰 여우가 쏜살같이 내달아 좌평 성충의 책상 위로 뛰어올랐다.

그러고 나서 잠시 움직이지 않던 흰 여우는 어디론가 사라져 버렸다.

"흰 여우가 왜 하필이면 성충의 책상 위로 올라가 앉은 것일까? 성충이 남긴 말들을 잊지 말라는 뜻이 아닐까?"

한 신하의 어림 짐작에 모두들 고개를 끄덕였지만, 임금에게는 아뢰지 않았다.

5월이 되자 사자수(백마강) 언덕에 엄청나게 큰 물고기가 떠내려와 죽어 있었다.

"야, 참으로 큰 물고기구나. 구워서 몇십 명이, 아니 몇백 명이 나누어 먹어도 남겠는걸."

물고기를 본 사람들은 입에 군침이 돌아 잡아 요리를 해 먹었다. 하지만 그 물고기를 먹은 사람들은 모두 죽고 말았다.

제법 쌀쌀한 바람이 부는 9월이 되자, 궁궐 안에 있던 홰나무에서 이상한 소리가 들려왔다.

"여보게, 저 소리 좀 들어 보게."

"왜 그리 얼굴색이 안 좋은가? 어디 아프기라도 한가?"

"글쎄, 저 소리 좀 들어 보라니까. 마치 사람이 곡을 하는 것 같네."

숨을 죽여 홰나무에서 울려 나오는 소리를 들으니 한 맺힌 사람이 구슬피 우는 소리 같았다.

의자왕이 왕위에 오른 지 20년, 즉 백제가 멸망한 그 해 1월이 되자 한층 더 심각한 일이 벌어지곤 했다.

백제의 서울 안에 있는 우물물은 모두 핏빛으로 변했으며, 서쪽에 있는 바닷가 모래 사장에는 작은 물고기들이 영문도 모르는 체 떼죽음을 당해 널려 있었다.

4월이 되니, 어디서 몰려왔는지 수만 마리의 개구리들이 나무 위로 날아오르기 시작했다. 마치 뒤에서 누가 쫓고 있는 듯 팔짝대며 나무 위로 몰려들었다.

개구리뿐만이 아니었다. 성 안에 있던 사람들도 귀신에 홀린 듯 무작정 도망쳐 달아나곤 했다.

"여보게, 어디를 그리 서둘러 가는가?"

"아니, 자네는 무얼 하고 있는 겐가? 뒤따라오는 귀신이 안 보인단 말인가. 서둘러 집으로 가지 않으면 귀신에게 잡혀 죽고 말 걸세."

달려가던 마을 사람은 말을 마친 후 또다시 앞만 보고 뛰었다.

성 안의 많은 사람들이 무언가에게 쫓겨 우왕좌왕하며 뛰어다니다 넘어져 밟혀 죽는 사람만도 백여 명이 넘었다. 이 와중에도 돈과 패물을 챙겨 달아나는 통에 재물을 잃어버린 사람의 수도 엄청났다.

6월이 되자 왕흥사라는 절에서도 이상한 일이 벌어졌다.

"스님, 웬 배가 강으로 흘러가지 않고 산으로 올라옵니까?"

"그게 무슨 소린가?"

"저기 절문을 향하여 노를 저어 오는 배가 안 보인단 말씀입니까?"

이 절의 한 스님이 손을 들어 무엇을 가리키며 말했다. 배가 절 안으로 들어오는 것을 본 스님이 한둘이 아니었다.

또한 늑대같이 큰 개가 사자수 언덕에 올라 왕궁을 향해 우렁차게 짖어 대곤 했다. 이 개의 울음을 시작으로 성 안의 모든 개들이 동시에 시끄럽게 울어 댔다.

궁중에서는 머리를 풀어 헤친 귀신이 나타나 이렇게 외쳤다.

"백제는 곧 망할 것이다! 백제는 망한다."

그리고는 땅 속으로 사라져 버렸다. 왕은 사람을 시켜 귀신이 들어간 자리를 파 보게 하였다.

땅을 석 자쯤 파들어가자 거북 한 마리가 나왔다.

"여기 거북 등에 무언가 씌어져 있습니다."

왕은 신하가 들고 온 거북을 살펴본 후, 글을 읽었다.

'달로 치면 백제는 보름달이요, 신라는 초승달과 같다.'

"허, 이게 무슨 뜻인지 알 수가 없구나. 여봐라, 무당을 불러오너라."

왕 앞에 나온 무당은 잠시 머뭇거렸다.

"아뢰옵기 황송하오나, 좋지 않은 조짐을 나타낸 말입니다."

"불길한 일이 일어날 것이란 뜻이냐?"

"그렇습니다. 본래 보름달이란 이미 그 기운이 완성된 것이므로 차차 기울게 마련입니다. 그 반대로 초승달은 아직 그 기운이 완성되지 않았으므로 점점 차오른다는 뜻입니다."

무당의 설명을 듣고 난 왕은 크게 노했다.

"무엄한 놈 같으니. 이 나라가 어찌 된다고? 결국 망해 간다는 소리가 아니냐?"

의자왕은 무당을 끌어내어 죽이라고 명령했다. 곁에서 이 광경을 지켜보던 한 신하가 나서서 해석을 달리 해 주었다.

"임금님, 고정하십시오. 저자는 사악한 무당임에 틀림없습니다. 저도 천문을 공부한 적이 있는데, 보름달이 뜻하는 것은 완성을 나타낸 말로 강인함을 의미합니다. 그와는 반대로 초승달은 미완성을 뜻하므로 미약함을 이르는 말입니다. 즉, 백제는 앞으로도 점점 성할 것이고, 신라는 앞으로 점점 나약해진다는 뜻임에 틀림없습니다."

왕은 이 말을 듣고 좋아라 하며 그 신하에게 상을 내렸다.

이 때 신라의 왕도 백제의 괴소문에 대한 이야기를 듣고 있었다.

"이것은 틀림없이 하늘이 우리에게 기회를 주시는 것이다."

태종무열왕은 아들 김인문을 당나라의 사신으로 보내어 백제를 치는 데 도움을 청했다.

당나라 고종은 이를 받아들여 당나라 장수 소정방에게 유인원, 풍사귀, 방효공 등을 참모로 삼게 하고 13만의 군사를 이끌도록 하였다.

소정방은 신라의 서쪽 덕물도에 이르렀다.

한편 신라에서도 김유신 장군이 군사 5만 명을 이끌고 백제를 향해 떠났다.

백제의 궁 안에서는 난리가 났다.

"임금님, 지금 신라와 당나라 연합군이 이 곳을 향해 쳐들어오고 있다고 합니다."

기겁을 한 의자왕이 급히 신하들을 불러 회의를 열었다.

"나당 연합군이 몰려오고 있다고 하는데, 어찌하면 좋겠소?"

좌평 의직이 나서서 계책을 아뢰었다.

"신의 생각으로는 당나라 군사와 먼저 싸움을 하는 것이 옳다고 봅니다. 당나라 군사는 멀리서 바다를 건너오느라 많이 지쳐 있을 것이고 물에서 하는 싸움에는 능숙하지 못합니다. 또한 동쪽에서 몰려오고 있는 신라 군사들은 당나라 군사의 힘만 믿고 우리 백제군을 우습게 볼 것입니다. 하지만 우리 백제군이 당나라와 목숨을 내건 싸움을 하는 것을 보면 지레 겁을 먹고 도망갈 것입니다. 그러므로 먼저 당나라 군사들과 결전을 하는 것이 옳다고 생각됩니다."

달솔(백제 16관등 중 제2위의 관직) 상영이 앞으로 썩 나서며 의직의 의견에 반대했다.

"그렇지 않습니다. 서쪽에서 몰려온 당나라 군사들은 지금 사기가 하늘을 찌를 듯할 것입니다. 섣불리 건드렸다간 큰 피해를 당하기 쉽습니다. 하지만 신라군은 전에 여러 번 우리 백제국에 패했기 때문에 우리를 두려워할 것입니다. 그러니 우선 당나라 군사들의 행로를 막아 그들이 지치기를 기다리는 한편, 신라군을 쳐야 합니다. 그런 연후에 군사들을 모아 나당 연합군을 공격한다면 쉽게 물리칠 수 있으리라 생각됩니다."

의자왕은 의직과 상영이 올린 계책이 상반되자, 어느 쪽을 따라야 할지 난감했다. 왕이 마음을 정하지 못하고 있자, 한 신하가 나서서 아뢰었다.

"임금님, 좌평 흥수에게 물어보도록 하십시오. 그러면 명쾌한 대답을 해 줄 것입니다."

"좌평 흥수라면 외딴 곳에 귀양을 가 있는 자가 아니오?"

상황이 급박하게 돌아가자, 왕은 신하가 권하는 대로 귀양 가 있는 흥수에게 도움을 청했다.

"왕명이오. 죄수는 예를 갖춘 뒤, 왕의 편지를 읽어 보시오."

상황을 파악한 흥수는 간단히 대답해 주었다.

"제 생각은 일전에 왕에게 간언한 뒤, 옥에서 세상을 떠난 좌평 성충의 의견과 같습니다."

즉, 당나라 군사는 기벌포로 들어오지 못하게 하고, 육지로 쳐들어 오는 신라 군사는 탄현을 넘어오지 못하게 해야 한다는 것이었다.

죄인 흥수의 전갈은 곧 왕궁에 전해졌다. 의자왕을 보호하고 있던 어리석은 신하들은 흥수의 의견에 반대하고 나섰다.

"말도 안 되는 소리입니다. 흥수는 죄를 짓고 귀양 가 있는 몸으로, 묻지 않아도 마음속으로 임금님을 원망하고 있을 것입니다. 당나라 군사들을 기벌포로 들어오게 하여 강물을 따라 내려오게 하여 좁은 곳으로 인도해야 합니다. 또 신라 군사로 하여금 탄현을 넘어서 지름 길로 들어서게 하면 좁은 길로 인해 진군하는 속도가 더딜 것입니다. 이 때를 틈타 공격을 한다면 마치 새장에 갇힌 새를 잡는 것처럼 손 쉬울 것입니다."

의자왕은 곁에 있던 신하들의 주장이 옳은 듯하여 그렇게 하기로 결단을 내렸다.

잠시 후, 나당 연합군의 동태를 살피러 간 군사가 뛰어들어왔다.

"당나라 군사는 기벌포를 지나 올라오고 있으며, 신라 군사는 탄현을 지났다 합니다."

왕은 계백 장군을 불러 명령을 내렸다.

"장군은 이길로 군사 5천을 거느리고 황산으로 가시오."

계백 장군은 결사대 5천과 함께 황산벌로 나가 죽을 힘을 다해 싸웠다. 네 번의 전투는 모두 이겼으나, 군사의 수도 적은데다가 군사들이 지쳐감에 따라 결국 전멸하고 말았다.

신라 군사는 당나라 군사와 만나 강가에 머무르게 되었다. 잠시 휴식을 취하고 있는데, 어디선가 새 한 마리가 날아들었다.

새는 소정방이 머무르고 있는 진영 위를 맴돌며 날아가지 않았다.

"조금 전부터 새 한 마리가 내 거처를 떠나지 않고 있으니, 무슨 일인고?"

주변에 있는 사람을 시켜 점을 쳐 보았다.

"아마도 장수께서 이번 전투에서 몸을 다치실 징조입니다."

이 말을 들은 소정방은 두려운 기색이 역력했다. 그는 군사를 거두어 돌아갈 마음까지 먹었다.

곁에 있던 김유신이 앞으로 나서 훈계했다.

"새 한 마리로 인해 어찌 하늘이 주신 좋은 기회를 버리려 한단 말이오? 하늘의 뜻과 백성들의 민심을 얻어 어질지 못한 자를 치러 가는데 어찌 좋지 않은 조짐이 있을 수 있겠소. 저 새가 장군의 마음을 어지럽히니 내가 없애 버리겠소."

유신은 번득이는 칼을 뽑아들고 새를 겨누었다. 갈가리 찢겨진 새가 소정방이 있는 곳에 떨어졌다.

그제야 소정방은 부끄러운 듯이 사과를 했다.

"유신 장군을 볼 면목이 없구려. 잠깐 실수를 했소."

소정방은 백강의 왼쪽 언덕으로 나가서 백제군을 맞아 싸워 이겼다. 당나라 군사들은 기세를 몰아 백제의 서울을 30리쯤 앞둔 곳까지 진격해 왔다.

백제에서는 남아 있는 군사들이 모두 동원되어 힘을 다해 막았으나, 결국 1만 명이 넘는 희생자를 냈을 뿐이었다.

당나라 군사는 이제 거칠 것이 없이 부여성으로 물밀 듯이 쳐들어갔다. 백제 의자왕은 속속들이 올라오는 패전 소식에 더 이상 버틸 힘이 없었다.

"아, 그 때 충신 성충의 말을 들었더라면……."

의자왕은 할 수 없이 태자 융과 함께 북쪽으로 몸을 피해 달아났다. 부여성은 완전히 당나라 군사들에게 포위되었다.

성 안에는 의자왕의 둘째 아들 태가 남아 왕을 자처하고 있었다.

"마지막까지 성을 버리지 말고 끝까지 싸우도록 하라."

의자왕과 함께 몸을 피해 달아난 태자 융의 아들 문사가 스스로 왕을 자칭한 숙부 태를 못마땅하게 여겼다.

"숙부님, 아무리 전쟁 중이긴 하지만 임금의 자리란 하늘이 정해 준 것입니다. 만약 당나라 군사가 물러간 뒤에 이 일이 알려지게 되면 무사하지 못할 것입니다."

말을 마친 문사는 자신을 따르는 무리들과 함께 성을 빠져 나갔다. 숙부 태는 아무 말도 할 수가 없었다.

소정방은 군사들을 지휘하여 성 위에 당나라의 깃발을 꽂았다. 결국 성을 지키던 태도 더 이상 버티지 못하고 항복하였다.

이에 도망갔던 의자왕과 태자 융도 돌아와 당나라에 항복하고 말았다. 그 뒤 소정방은 의자왕을 비롯하여 왕자, 대신들과 수많은 백성들을 당나라로 끌고 갔다.

당나라는 백제에 웅진, 마한, 동명, 금련, 덕안의 5도독부를 두어 도독과 자사로 하여금 다스리게 했다.

## 모든 시름을 잠재우는 피리

서기 682년 5월 1일에 경주 동쪽에 감은사라는 절이 세워졌다. 그 절은 신라 제31대 신문왕이 아버지 문무왕을 위해 지은 것이었다.

바다를 지키던 한 신하가 왕에게 아뢰었다.

"임금님, 동해 바닷가에 이상한 일이 있습니다. 작은 섬 하나가 감은사 쪽으로 흘러와서 물결을 따라 이리저리 휩쓸리고 있습니다."

"호, 그거 신기한 일이로다."

왕은 즉시 일관을 불러 점을 쳐보라고 했다. 일관은 잠시 점괘를 짚어 보더니, 조용히 아뢰었다.

"임금님의 아버님이신 문무왕께서 바다의 용이 되어 이 나라를 지키고 계십니다. 게다가 33천의 아들로 속세에 계셨던 김유신 장군께서도 하늘 나라에서 이 나라를 보호해 주고 계십니다. 이 두 어른께서 임금님에게 귀중한 물건을 주려고 하시는 듯합니다. 바닷가로 나가서 두 분이 주시는 보물을 받으시기 바랍니다."

일관의 이야기를 들은 신문왕은 매우 기뻤다. 일관이 일러 준 날인 7일에 신하를 보내 바다 위의 산을 찾아보라고 했다.

"아뢰옵니다. 신이 살펴보니 감은사 동쪽 바닷속에 거북의 머리처럼 생긴 작은 산이 떠 있었습니다. 그 산 위에 대나무 한 그루가 서 있는데, 낮에는 두 개로 갈라졌다가 밤에는 한 개로 합쳐지곤 합니다."

"그거 참, 내 눈으로 확인해 봐야겠다."

왕은 감은사로 가서 짐을 풀고 직접 바닷가로 나가 확인해 보았다.

"산 위에 서 있는 대나무가 두 개로 보이는구나."

잠시 후, 갈라졌던 대나무가 한 개로 합쳐지면서 천지가 어두컴컴해졌다. 곧 비바람이 몰아치고 파도가 일렁거렸다.

"임금님, 안 되겠습니다. 어서 안으로 드시지요."

비가 쏟아지기 시작하자 신하들은 서둘러 왕을 모시고 감은사로 돌아왔다. 왕의 일행은 그 곳에서 날씨가 개이기만을 기다렸다.

16일쯤 되자, 날씨가 언제 그랬냐 싶게 맑게 갰다.

"배를 준비 시키시오. 내 직접 바다에 떠 있는 작은 산으로 들어가 보리다."

"안 됩니다. 다시 천지가 진동하고 비바람이 몰아칠지도 모릅니다."

"그렇지 않을 것이오. 어서 떠날 준비를 하시오."

왕은 주변의 만류에도 아랑곳하지 않고 바닷가에 떠 있는 섬으로 향했다. 왕이 섬에 발을 내딛자, 어디선가 뭉게 구름이 일더니 용 한 마리가 나타났다.

"아니, 저건 무언가?"

일순간 소스라치게 놀라는 왕에게 용은 정중히 인사를 올렸다. 그리고는 무언가를 내밀었다.

"이건 옥대가 아닌가?"

홀연히 나타난 용이 내민 것은 검은 옥대였다. 왕이 감사히 이를 받아들이고 그 동안 궁금했던 것을 물어보았다.

"이 곳의 대나무가 갈라졌다가 다시 합해졌다가를 반복하는데, 무슨 일인지 궁금하네. 혹시 그 까닭을 알고 있으면 말해 주게."

용은 눈을 꿈벅거리며 입을 열었다.

"간단한 이치입니다. 두 손을 마주 쳐야 소리가 나는 것과 같이 대나무도 하나로 합쳐져야만 그 소리를 낼 수 있습니다. 대왕께서 소리로써 세상을 이끌어 가실 분이시니, 이 대나무를 베어다 피리를 만들어 부시면 모든 시름을 잠재울 수 있을 것입니다. 대왕의 아버님은 바다의 큰 용이 되셨고, 김유신 장군은 하늘에서 천신이 되셨습니다. 이 두 분께서 보내 드리는 귀한 물건이 바로 이것입니다. 저는 이 사실을 말씀드리기 위해 이 곳에 온 것입니다."

용의 이야기가 끝나자, 왕은 돌아가신 문무왕 생각에 잠시 시름에 젖었다. 하지만 이내 마음을 가다듬은 후, 심부름을 온 용에게 비단과 황금 등을 주어 고마움을 표시했다.

함께 온 사람을 시켜 그 곳에 있는 대나무를 베어 배에 싣도록 했다. 산을 떠나오면서 뒤돌아 보니 용은 온데간데없이 사라져 버렸다.

그날 밤은 감은사에서 머무르고, 다음 날 17일이 되자 신문왕은 궁궐로 돌아갈 채비를 차렸다.

왕의 행렬이 지림사 서쪽 시냇가에 이르렀다.

"이 곳에서 쉬며 점심을 먹도록 하자."

왕의 일행이 휴식을 취하며 음식을 먹고 있을 때였다. 태자 이공이 말을 달려 이 곳으로 오고 있었다.

"저기 달려오는 자가 누구냐?"

"예, 태자이옵니다."

왕이 있는 곳에 멈춰선 태자는 말에서 내려 정중히 예를 올렸다.

"그 동안 별고 없으셨는지요? 아버님이 돌아오신다는 소식을 듣고 이 곳가지 모시러 왔습니다."

"고맙구나. 여기까지 마중을 나오고……."

"아버님, 옆에 있는 물건은 무엇입니까?"

왕은 태자에게 용이 선물로 준 옥대를 보여 주었다.

"이 옥대에 그려진 용은 진짜 용입니다."

옥대의 이곳 저곳을 살펴보던 태자가 자신 있게 아뢰었다.

"호, 여기에 그려진 용이 진짜라고? 그 말이 사실이라는 것을 어떻게 알 수 있느냐?"

태자는 옥대의 쪽을 하나 떼어 내 근처 시냇물에 넣었다. 그러자 옥대의 쪽은 용이 되어 하늘로 올라갔다.

그 후로 그 곳을 용이 올라간 연못이라 하여 용연이라 불렀다.

태자와 함께 궁으로 돌아온 왕은 용의 말대로 베어온 대나무로 피리를 만들었다. 그리하여 월성의 천존고에 보관해 두고 필요할 때면 꺼내 불곤 했다.

한번은 온 나라 안에 전염병이 돌아 많은 백성들이 죽어 나가는 일이 생겼다. 왕은 문득 모든 시름을 없애 준다는 피리 생각이 났다.

"여봐라, 천존고에 보관해 두었던 피리를 가져오너라."

왕은 신하가 가져다 준 피리에 병마와 싸우는 백성들을 염려하는 마음을 담아 불기 시작했다. 피리 소리는 궁안을 넘어 백성들이 살고 있는 마을에까지 울려 퍼졌다.

"아, 피리 소리를 들으니 마음이 편안해지는 것 같네."

"그러게 말야. 그 동안 병 때문에 지친 마음을 다 풀어 주는 듯하네그려."

백성들은 시름을 잊고 피리 소리에 몸을 내맡겼다. 신기하게도 시간이 흐르자, 온 나라 안에 퍼졌던 전염병이 점차 사라지게 되었다.

"이 모든 것이 신기한 피리 덕분이라지."

"글쎄. 내 생각으로는 백성들을 어여삐 생각하시는 임금님의 너그러움 때문인 것 같은데."

왕과 백성들은 신기한 피리에게 감사의 마음을 가졌다.

피리의 덕을 본 것은 이것만이 아니었다. 가뭄이 들어 온 나라 백성들이 어려움에 처해 있을 때였다.

"아, 하느님도 무심하시지. 논과 밭이 저렇게 타들어 가는데, 한 방울의 비도 뿌려 주시지를 않으니……."

굶주림에 지친 백성들의 원성은 높아만 갔다.

'가뭄이 너무 심하구나. 담아 두었던 물도 바닥이 났으니, 이를 어쩌면 좋단 말인가?'

그 때 신기한 피리 생각이 난 신하가 아뢰었다.

"임금님, 대나무로 만든 그 피리를 사용해서 하늘에 빌어 보는 것이 어떻겠습니까?"

"아, 그렇지. 왜 진작 피리 생각을 못했을까?"

왕은 신하가 가져다 준 피리에 비에 대한 소망을 담아 천천히 불었다. 어느덧, 피리 소리가 사방으로 울려 나갔다.

"저 하늘 좀 보시오. 먹구름이 몰려오고 있소."

"아, 하늘이 드디어 비를 내려 주시려나 보다."

백성들은 기뻐 어쩔 줄을 몰랐다. 곧 하늘에서 빗줄기가 한 방울 두 방울 떨어지기 시작했다.

"비다! 비가 온다."

사람들은 오랜 가뭄 끝에 내리는 빗줄기를 맞으면서 덩실덩실 춤을 추었다.

왕과 신하들은 몇 번의 일을 통해 피리의 영험함을 알게 되었다. 그 뒤로도 홍수가 날 때 이 피리를 불면 비가 그쳤고, 다른 나라의 침입을 받을 때도 피리를 불면 적들이 뒷걸음질을 쳐 물러나곤 했다.

그래서 이 피리는 만파식적(모든 근심을 잠재우는 피리)으로 불리며, 나라의 보물로 정해져 소중히 보관되었다.


화랑 죽지랑


화랑 중에서도 그 재주가 뛰어난 죽지랑은 신라 제32대 효소왕 때의 인물이다. 죽지랑은 많은 부하 낭도를 거느리고 있었다.

죽지랑은 낭도 중의 한 사람인 득오를 몹시 아꼈다. 득오는 부지런한 데다가 윗사람에 대한 충실함이 남달랐다.

'웬일까? 득오의 모습이 눈에 보이지 않은 지가 열흘도 넘은 것 같은데…….'

하루도 빠지지 않았던 득오가 보이지 않자, 죽지랑은 은근히 걱정이 되었다.

'어디가 아픈 것은 아닐까? 내일은 득오의 집을 찾아봐야겠다.'

다음 날도 역시 득오가 화랑의 무리에서 보이지 않자, 죽지랑은 득오의 집을 찾아갔다.

"계시오?"

"밖에 누가 왔소?"

득오의 어머니인 듯한 부인이 죽지랑을 맞아들였다.

"처음 뵙겠습니다. 이 곳을 찾아온 것은 다름이 아니라 득오가 요 며칠째 모습을 보이지 않아 궁금하기도 하고……."

"득오는 지금 이 곳에 없습니다. 모량부의 당전(신라 군직의 하나로 부대장에 해당됨) 익선이 득오를 부산성 창고지기로 임명하는 바람에 서둘러 떠났습니다. 제게 이 소식을 죽지랑에게 전해 주라 했지만, 그만 깜빡 잊고 말았습니다."

"그랬었군요. 그래서 그 동안 볼 수가 없었군요. 저는 그것도 모르고 어디가 아픈 줄 알고 걱정했습니다. 득오가 사적인 일로 간 것이 아니라 나라의 부역을 위해 파견되었다는데, 안 갈 수야 없죠."

죽지랑은 부역을 나간 득오를 격려하기 위해 음식을 마련한 뒤, 낭도 137명을 이끌고 부산성으로 향했다.

죽지랑의 일행이 부산성에 도착하자, 곧 득오를 찾아나섰다.

"득오란 이름을 가진 낭도를 찾고 있습니다만……."

"익선의 밭으로 가 보십시오. 거기서 일을 하고 있습니다."

이 얘기를 들은 죽지랑은 마음속이 착잡했다.

'아니, 공적인 부역에 동원되어 왔다더니만, 익선의 개인적인 집안일을 하고 있는 게 아닌가?'

이것은 법을 어기는 일이었지만, 흉측하고 못된 익선은 아무 죄책감도 느끼지 않았다.

우선 준비해 간 술과 떡을 혹독한 노동에 시달리고 있는 득오에게 주어 먹게 하였다. 그런 뒤 죽지랑은 익선을 만나러 갔다.

"지금 득오에게 무슨 일을 시키고 있는 것이오? 이 사실을 안 이상 그를 이 곳에 내버려 둘 수는 없소. 이 곳에 온 김에 내가 데려갈 테니, 그에게 휴가를 주시오."

"아직 밭일이 끝나지도 않았는데, 어디로 데려간단 말인가? 그렇게는 못하겠네."

익선은 코방귀도 뀌지 않았다.

옥신각신하며 논쟁이 벌어지고 있는데, 추화군 능절의 벼 30석을 운반하던 간진이란 관리가 이 광경을 목격하게 되었다.

'아니, 저런 나쁜 놈이 있나. 남의 부하를 데려다 자신의 집안일을 돌보는 데 쓰고 있다니…… 반면에 맞은 편에 있는 화랑은 참으로 훌륭하다. 곤경에 빠진 부하를 도와주려고 저렇게 애를 쓰고 있으니!'

속으로 이렇게 생각한 간진은 죽지랑을 도와주기로 마음먹었다.

"여보시오. 중간에 끼여들어 미안합니다만, 내 한 마디 하겠소."

죽지랑과 익선은 잠시 말을 멈추고 난데없이 끼여든 사나이를 쳐다보았다.

"내가 가지고 있던 벼 30석을 모두 당신에게 줄 테니, 저 사람의 말대로 득오를 돌려보내 주시오."

"그것 가지고는 어림도 없소."

재물에 욕심이 많은 익선은 들은 체도 하지 않았다. 일이 이 지경에 이르자, 사람들이 하나 둘씩 모여들기 시작했다.

사람들 틈에 섞여 있던 사지 진절이라는 관리가 나섰다.

"내가 가진 말안장을 당신에게 줄 테니, 저 화랑의 말을 따르도록 하시오."

익선은 진절이 내미는 말안장을 흘낏 쳐다보았다.

'흠, 저 정도면 값이 꽤 나가겠는걸.'

말안장은 금은으로 장식이 된 귀한 물건이었다.

"벼와 말안장을 받는 대신 득오를 돌려보내도록 하겠소."

익선이 대답하였다.

이 소문은 삽시간에 널리 퍼져 나갔다. 조정의 화주(화랑 단체를 관장하던 관직)가 이 소식을 전해 들었다.

"비열한 놈 같으니라고! 개인적인 일로 화랑의 낭도를 붙잡아다 일을 시킨 후, 뇌물을 받은 연후에야 사람을 풀어 주다니……."

몹시 화가 치민 화주는 익선을 당장 잡아들이도록 명령했다. 익선은 자신을 벌 주려 한다는 소문을 듣고 어디론가 숨어 버렸다.

결국 익선의 맏아들이 붙잡혀 왔다.

"네 이놈! 네 아비가 어디로 도망을 갔는지 바른 대로 대거라."

"모릅니다. 제게 아무런 말씀도 하지 않고 집을 나가셨습니다."

"그럼 할 수 없다. 아비 대신 네가 벌을 받아야겠다."

화주는 익선이 그 동안 한 짓을 알고는 도저히 용서할 수 없어 대신 그 아들을 벌주었다.

화주는 익선의 아들에게 꽁꽁 얼어붙은 연못을 깨고 들어가 목욕하는 벌을 주었다. 결국 익선의 아들은 추위를 견디지 못하고 얼어 죽고 말 았다.

효소왕 또한 이러한 일을 신하들의 입을 통하여 알게 되었다.

"익선이 살던 모량리 사람들에게는 당분간 벼슬길을 막아 놓도록 하 라. 또 모량리에 살던 사람이 스님이 되어도 절간에 머물지 못하도록 할 것이며 승복을 입지 못하도록 하라. 그리고 득오를 도와준 간진은 상을 내려 백성들의 표본으로 삼을 것이며, 그 자손들은 마을의 우두 머리가 되도록 하라."

왕은 신하들에게 이와 같은 명을 내렸다.

그 뒤로 죽지랑은 김유신 장군을 도와 삼국 통일의 큰 공을 세웠으 며, 재상의 자리에까지 올랐다.

죽지랑이 태어날 때의 한 신기한 일화가 있다.

진덕 여왕 때의 사람 술종공이 삭주 도독사로 임명되어 부임지로 떠 날 때였다. 그 당시 나라 안이 혼란스러워 기병 3천 명의 호위를 받으 며 길을 가고 있었다.

죽지령이라는 고갯길에 이르렀을 때였다.

한 거사(출가하지 않은 사람으로 불교의 법명을 가진 사람)가 울퉁불퉁한 고갯길을 열심히 손질하고 있었다.

"아니 웬 사람이 저리도 열심히 일을 하고 있느냐?"

술종공이 부하에게 물었다.

일손을 놓고 술종공의 행렬을 바라보던 거사는 마음속으로 생각했다.

'참으로 웅대한 행렬이구나. 필시 높은 지위에 있는 사람일 게야.'

술종공 역시 남모르게 열심히 고갯길을 손질하고 있는 거사에게 존경 심을 가졌다.

'훌륭한 사람이구나. 다른 사람을 위해 저렇게 열심히 길을 닦다

니…….'

두 사람은 서로 인사를 나누고 몇 마디 말을 주고받았다. 하지만 술종공이 부임지로 떠나던 길이라 시간을 마냥 지체할 수가 없었다.

아쉽지만 작별의 인사를 나누고 길을 재촉했다.

삭주에 도착한 지 한 달이 지난 어느 날 밤이었다. 깊이 잠든 술종공은 이상한 꿈을 꾸게 되었다.

'아니, 저게 누군가?'

어디선 많이 본 듯한 낯익은 사람이 술종공의 방으로 서슴없이 들어왔다.

"누구신데, 남의 방에 함부로 들어오는 게요?"

술종공이 한 마디 쏘아붙였지만, 그는 아무런 말도 하지 않고 서 있었다. 퍼뜩 잠이 깬 그는 주변을 두리번거렸다.

"아, 꿈을 꾸었나 보군. 하지만 꿈 속에서 본 사람은 어디선가 본 듯한 얼굴인데…… 아, 그래 그 사람이 틀림없어."

그는 무릎을 탁 치며 부임지에 오던 도중에 본 거사의 얼굴을 떠올렸다. 그날 아침 식사를 하며 술종공은 간밤의 꿈이 왠지 꺼림칙하여 부인에게 꿈 이야기를 꺼냈다.

"부인, 꿈 이야기 좀 들어 보시오."

술종공은 부인에게 고갯길에서 본 거사의 이야기며, 꿈에 나타난 일을 상세히 이야기했다.

"그거 참 이상한 일이로군요."

부인은 고개를 갸우뚱거렸다.

"왜 그러시오, 부인?"

"실은 저도 서방님께서 꾼 꿈과 똑같은 꿈을 꾸었답니다."

"정말이오? 내 꿈과 같은 꿈을 꾸었다는 것이……."

부인의 꿈 이야기를 들어 보니, 부인의 꿈에 나타난 사나이의 생김새와 거사의 모습이 딱 맞아떨어졌다.

"이런 신기한 일이 있나?"

그는 사람을 시켜 죽지령을 찾아가 거사를 찾아보도록 했다. 심부름꾼이 부근의 마을을 찾아 알아보니, 그 사람은 얼마 전에 세상을 떠났다고 했다.

집으로 돌아온 심부름꾼은 술종공에게 그대로 아뢰었다.

"안타깝구나. 그런데 거사가 죽은 날이 언제라고 하더냐?"

심부름꾼이 알려 준 날짜는 술종공 부부가 거사의 꿈을 꾼 날짜와 같았다.

"필시 우리 집과 무슨 인연이 있는 것에 틀림없다."

그는 하인들을 시켜 죽지령 위 북쪽 봉우리에 거사를 장사 지내 주었다. 그리고 돌로 미륵불상을 만들어 무덤 앞에 세워 주었다.

술종공의 부인은 그 뒤 태기가 있어, 열 달 뒤 사내아이를 낳았다. 술종공은 죽지령의 거사가 자신의 집에 태어난 것이라 생각하여 아이의 이름을 죽지라고 지었다.

그 후로 죽지는 총명하게 자라서 화랑이 되었다. 낭도 득오가 죽지랑을 사모하며 노래를 지어 불렀는데, 다음과 같다.


　　간 봄 그리워하니 모든 일이 시름이구나.

　　아름답던 얼굴에 어느덧 주름이 지니

　　잠깐 사이나마 만나게 될지어다.

　　낭이여, 그리운 마음 어찌하리오.

　　쑥대 구렁에 함께 있고 싶구나.

## 수로 부인

순정공이 나라의 명을 받아 강릉 태수로 부임하던 길이었다. 신라 제 33대 성덕왕이 왕위에 있을 때였다.

깎아지른 듯한 험한 절벽이 바다 곳곳에 둘려져 있어 그 경치가 말할 수 없이 아름다웠다.

"참으로 장관일세. 다시 이 곳을 지나는 길이 있다면 다시 한 번 둘러 보고 싶을 곳일세."

"자네 말이 맞네. 모래사장을 보게나. 꼭 금가루를 뿌려 놓은 듯하 네."

순정공을 모시고 가던 하인들은 강릉의 경치에 감탄을 하며 한 마디 씩 했다. 일행은 이 곳에서 점심을 먹기로 했다.

공의 부인 수로도 바닷가의 경치를 둘러보며 탄성을 질렀다.

"어머, 저 절벽 위에 있는 꽃들 좀 봐! 철쭉이 참으로 아름답게도 피 었네."

수로 부인은 주변을 돌아보며 부탁을 했다.

"저 절벽 위에 핀 꽃을 꺾어다 주지 않겠어요?"

탐스러운 철쭉꽃에 마음을 빼앗긴 수로 부인은 누군가 꽃을 꺾어 주 기를 원했다. 하지만 하인들은 서로 눈치만 보며 아무 말이 없었다.

수로 부인이 다시 한 번 눈짓을 하자 한 하인이 말했다.

"송구스럽습니다만 저 곳은 사람이 올라가기에는 너무 가파릅니다."

그 때 순정공 일행이 있는 앞으로 암소를 끌고 지나가던 노인 한 분 이 있었다. 그 노인은 멀리서나마 수로 부인과 일행이 하는 이야기를 들었다.

"괜찮으시다면 제가 꽃을 꺾어다 드리겠습니다."

"어머, 정말인가요?"

수로 부인은 노인의 말에 뛸 듯이 기뻤다. 노인은 험준한 절벽 위로 올라가 철쭉꽃을 꺾어다가 수로 부인에게 바쳤다.

노인은 수로 부인에게 꽃을 건네 주며 노래를 지어 불렀다.

자줏빛 바위 끝에
잡고 온 암소 놓게 하시고
나를 부끄러워하지 않는다면,
꽃을 꺾어 바치오리다.

수로 부인이 꽃을 보며 감탄하고 있는 사이에 노인은 어디론가 떠나 버렸다.

"이를 어쩌나. 꽃을 따다 준 노인의 이름도 물어 보지 못했으니……."

아쉬워하는 마음을 뒤로 하고 순정공 일행은 자리를 거두고 그 곳을 떠났다.

이틀 뒤, 순정공의 행렬은 임해정이라는 정자 앞에 이르렀다. 잠시 숨을 돌리고 쉬면서 점심을 먹었다.

갑자기 바닷물이 치솟아 올라오더니 용이 나타났다. 그 곳에 있던 사람들은 기겁을 하고 뒤로 물러섰다.

용은 순식간에 수로 부인을 끌고 바닷속으로 들어가 버렸다. 순식간에 일어난 일에 순정공은 어찌할 바를 모르고 안타까워했다.

"아, 이 일을 어찌하면 좋단 말인가?"

난감해하고 있는 순정공 앞에 홀연히 노인 한 분이 나타났다.

"전하는 말에 의하면 많은 사람의 입은 쇠도 녹인다고 했습니다. 바닷속의 용이라 할지라도 여러 사람들의 입을 겁낼 것입니다. 이 곳의 백성들을 모아 노래를 지어 부르면서 막대기로 언덕을 치면 반드시 부인을 찾을 수 있을 것입니다."

"그렇게 해서 부인을 찾을 수만 있다면 얼마나 좋겠습니까?"

순정공은 지푸라기라도 잡는 심정으로 사람들을 모아 노래를 부르게 하면서 노인이 시키는 대로 했다.

거북아 거북아 수로를 내놓아라.
남의 부인을 빼앗아 갔으니
그 죄가 얼마나 큰 줄 아느냐?
네가 만일 부인을 내놓지 않으면
그물로 잡아 구워 먹겠다.

사람들의 노랫소리가 우렁차게 울려 퍼지자, 이윽고 바닷속에서 용이 솟아오르더니 수로 부인을 땅에 내려놓았다.

"아, 부인. 얼마나 놀라셨소?"

"아니옵니다. 바닷속의 여러 곳을 구경하며 즐거운 시간을 보냈답니다."

"바닷속 세상을 돌아보다니, 거참 신기한 일이로다."

부인은 일곱 가지 보물로 지은 궁전과 맛 좋은 음식에 대해 이야기해 주었다.

"향기로운 음식은 이 세상에서 맛본 적이 없는 생소한 것들이었어요."

수로 부인의 옷에서는 말로 표현할 수 없는 이상한 냄새가 퍼져 나왔다. 그 뒤로도 산과 바다를 지날 때면 수로 부인의 아름다운 모습에 반한 여러 동물들이 부인을 끌고 가곤 했다.

순정공은 그럴 때마다 많은 사람들을 불러 놓고 앞의 노래를 불렀다. 그는 노래 덕택으로 무사히 부임지까지 갈 수 있었다.

## 혜공왕

신라 제35대 경덕왕은 뒤를 이을 왕자가 태어나지 않자 큰 고민에 빠졌다.

'아, 왕비가 자식을 낳을 기미를 보이지 않아 새 왕비로 경수 태후를 맞아들였건만, 아직 소식이 없으니 답답하구나.'

왕은 이름이 널리 알려진 표훈 스님을 불러 한탄했다.

"내 뒤를 이을 왕자를 벌써 보아야 했지만, 아직도 소식이 없으니 이를 어쩐단 말이오? 스님에게 부탁 드리니 부디 왕자를 얻을 수 있도록 천제께 빌어 주시오."

왕의 부탁을 들은 표훈은 그 날부터 불공을 올렸다.

"소인이 천제께 물어본즉 공주님이 태어나게는 해 줄 수 있지만, 왕자님은 임금님의 팔자에 없다고 합니다."

스님의 말을 들은 왕은 머리를 가로저으며 말했다.

"안 되오. 꼭 내 뒤를 이를 왕자라야 하오. 공주를 바꾸어 왕자로 태어나게 해 주시오."

왕은 스님에게 다시 매달렸다.

'참으로 어려운 일이다. 얼마나 간절하면 저럴까?'

표훈 스님은 다시 한 번 부처님께 불공을 올렸다. 그리고 하늘의 계시를 받은 스님은 왕에게 다시 아뢰었다.

"임금님, 공주를 왕자로 바꿀 수는 있지만 그럴 경우에는 나라가 위태로워질 것입니다. 다시 한 번 잘 생각해 보십시오."

"고맙소. 왕자를 얻을 수만 있다면 상관없소."

평생 왕자를 얻지 못하리라고 단념했던 왕은 스님의 말을 듣자, 죽은 사람이 살아난 듯이 기뻐했다.

'왕자가 태어나는데, 설마 나라가 위태로워질까? 아마도 겁을 주려고 한 말일 것이야.'

혼자 마음속으로 생각한 왕은 왕자가 태어난 뒤의 일은 생각하지 않기로 했다.

왕에게 여러 차례 하늘의 뜻을 알려 준 스님은 천제의 꾸짖는 소리를 들었다.

"하늘의 비밀스런 일들을 사람에게 말해서는 안 되는 것을 잘 알고 있을 것이다. 그런데 표훈은 천기를 누설하고 다녔으니, 이후로는 상대하지 않을 것이다."

스님의 도움으로 새 왕비 경수 태후에게 태기가 있었다. 열 달이 지나 아이를 낳으니 왕이 원하던 대로 아들이었다.

왕자는 공주로 태어날 몸이었기에 소심하고 나약했다. 자라면서부터 여자들이 즐겨 하는 놀이에 관심을 가졌다.

경덕왕이 세상을 떠나자 여덟 살의 나이로 왕위에 올랐으니, 이가 바로 신라 제36대 혜공왕이다.

왕이 어린 탓에 왕을 대신하여 어머니인 경수 태후가 나랏일을 돌보았다. 하지만 표훈 스님의 말대로 여러 곳에서 도적이 일어나고 정치는 어지러웠다.

결국 왕은 나라가 혼란한 틈을 타 죽음을 당하였다.

## 신기한 구슬

신라 제38대 원성왕은 덕이 높은 승려 한 분을 모시고 나라의 평온을 기원하는 행사를 가졌다.

50일 동안이나 계속된 이 행사에 묘정이라는 동자승이 함께 따라왔다. 큰 스님이 묘정에게 일렀다.

"묘정아, 이러한 행사를 보는 것도 큰 공부가 될 것이다. 옆에서 내 시중을 들며 잘 살펴보거라."

동자승은 하루를 마칠 때쯤이면 금광정이라는 우물가로 가서 그릇을 씻었다. 그릇을 열심히 닦다 보면 자라 한 마리가 물속에서 나타났다가 사라지곤 햇다.

"고 녀석, 참 귀여운걸."

동자승은 자라를 손으로 톡톡 치며 장난을 쳤다. 그리고 남은 밥이 있으면 자라에게 가져다주곤 했다.

우물가로 와서 자라가 보이지 않는 날에는 왠지 두리번거리곤 했다.

'이 녀석이 오늘은 왜 모습을 나타내지 않는 걸까?'

그러면 동자승의 마음을 눈치채기라도 한 것처럼 어디선가 자라가 불쑥 나타났다. 여기 있으니 걱정 말라고 하는 것 같았다.

행사가 다 끝나갈 무렵, 동자승도 이제는 몸담고 있던 절간으로 돌아가야만 했다.

"이제 며칠 후면 너와도 작별이구나."

슬픈 표정으로 자라에게 이야기하는 동자승의 눈에서 얼핏 눈물이 비쳤다. 이런 동자승의 마음을 아는지 자라도 한 자리에 꼼짝하지 않고 머물러 있었다.

"앞으로도 건강하게 잘 있어야 한다."

자라는 동자승 곁을 떠나 물 속으로 들어가 버렸다.

며칠 동안 동자승은 일부러 우물가에 가지 않았다. 어차피 떠날 몸인데, 자라에게 준 정을 떼자고 마음먹었기 때문이다.

'내일이면 이 곳을 떠나는데, 자라가 잘 있는지 보고 올까?'

동자승은 우물가를 찾아 자라를 불러 보았다.

"얘야, 내가 왔다. 나와 보거라."

그 때였다. 우물 속에서 풍덩 하는 소리와 함께 자라가 위로 올라왔다.

"그 동안 잘 있었니? 나는 네가 보고 싶은 걸 억지로 참았단다. 하지만 이제 내일이면 이 곳을 떠나야 하니 무척 아쉽구나."

동자승이 슬프게 말하자, 자라는 미리 준비해 온 구슬 한 개를 목구멍에서 내뱉았다. 그리고는 구슬을 발로 동자승에게 굴렸다.

"호, 이것을 내게 주려는구나."

자라가 내민 구슬을 받은 동자승은 무척 기뻤다.

"고맙다. 아마도 이별의 선물로 주는가 보구나."

동자승은 구슬을 허리띠 끝에 매달고 소중히 여겼다. 구슬의 효험 때문인지는 몰라도 그날 따라 궁 안에 있는 모든 사람들이 동자승을 따뜻하게 대해 주었다.

"동자 스님, 어디 가세요?"

"스님, 이것 좀 드시고 가세요."

"묘정 스님을 보면 티 없이 맑은 모습에 내 마음이 평온해져요."

가는 곳마다 칭찬하는 소리를 듣자 동자승은 내심 이상한 생각이 들었다.

'오늘 따라 사람들이 왜 이렇게 친절할까?'

왕도 동자승을 불러 이렇게 이야기했다.

"묘정 스님은 이번 행사를 끝내고 어디로 가시렵니까?"

"예, 머물고 있던 절간으로 돌아가려 합니다."

"안 됩니다. 궁 안에 오랫동안 머물러 주십시오."

오늘 따라 사람들의 말과 행동이 전과 같지 않았다. 절의 심부름꾼이나 마찬가지인 자기를 함부로 대했던 사람들도 오늘은 언제 그랬냐 싶게 상냥하고 친절했다.

행사가 끝난 뒤에도 왕의 배려로 동자승은 궁궐에 머물러 있게 되었다. 그뿐만이 아니었다.

왕이 중국 당나라로 한 신하를 사절로 보내게 되었을 때, 그 사신은 왕에게 한 가지 부탁을 했다.

"임금님, 한 가지 청이 있습니다."

"말해 보시오."

"당나라로 가는 길에 묘정 스님을 데리고 가도록 해 주십시오."

왕은 사신의 요구를 들어주었다.

그런데 당나라에 온 묘정을 본 중국 사람들도 신라 사람들과 마찬가지로 동자승을 사모하여 그의 말이라면 무조건 들어 주었다.

당나라 황제도 신라에서 건너온 동자승을 가까이에서 보고자 할 정도였다. 이를 시기한 한 신하가 앞으로 나서며 동자승을 경계하는 말을 아뢰었다.

"폐하, 묘정은 필시 속임수를 쓰는 것이옵니다. 특별히 뛰어난 재주가 없음에도 불구하고 저토록 사람들의 신망을 얻는 것을 보면 틀림이 없습니다."

"묘정이 사람들을 속이고 있다고······."

황제는 신하의 말이 그럴 듯하다고 여겼다.

'그럴지도 모르지. 어린 스님을 보면 나도 모르게 가까이 두고자 하는 마음이 자꾸 생겨나니 그 이유를 모르겠어.'

당나라 황제는 사람을 시켜 동자승의 몸을 샅샅이 뒤지라고 했다.

"그래, 무슨 괴상한 물건이라도 나왔느냐?"

"특별히 몸에 지닌 것은 없고, 허리띠에 찬 구슬 하나가 있었을 뿐입니다."

"호, 그래. 이리 가져오너라."

군사가 올린 구슬을 살펴본 황제는 깜짝 놀라고 말았다.

"이것은 얼마 전에 내가 잃어버린 구슬과 똑같은 것이다. 내가 가지고 있던 네 개의 구슬 중의 하나가 분명하다."

황제는 가지고 있던 세 개의 구슬과.묘정이 가진 구슬 한 개를 비교해 보았다.

'흠, 틀림없군. 하지만 어떻게 이 구슬이 어린 스님에게 들어갔을까? 이 구슬은 바닷속에 사는 용이 가진 여의주라는 것으로 귀한 보물인데······ 그렇다면 이제까지 이 구슬이 조화를 부려 어린 스님을 보호

하고 있었던 게로구나.'

이제야 사람들이 아무런 이유 없이 어린 스님에게 이끌리는 이유를 알 것 같았다.

"묘정에게 묻겠다. 이 구슬은 너의 것이 맞느냐?"

동자승은 몸 수색을 당하고 나자 잠시 얼떨떨했다. 그러다가 왕의 물음에 정신이 번쩍 들었다.

"아닙니다. 신라의 궁궐에 있는 한 우물가에 사는 자라에게서 얻은 것입니다."

"자라가 이 구슬을 주었다는 말이냐?"

"그렇습니다. 가끔씩 자라의 밥을 챙겨 주며 장난을 치며 놀았습니다. 구슬은 제가 궁 안의 행사를 마치고 돌아가기 전날 자라에게서 받은 것입니다."

동자승은 황제에게 구슬을 얻은 경위를 숨김없이 말해 주었다.

'어린 스님의 말이 거짓은 아닌 것 같구나.'

황제는 마지막으로 한 가지 더 물어보았다.

"이 구슬을 얻은 날짜를 기억하느냐?"

동자승은 기억을 더듬어 날짜를 황제에게 아뢰었다.

'동자승이 구슬을 얻은 날짜와 내가 구슬을 잃어버린 날이 같은 날이로구나.'

황제는 더 이상 동자승에게 구슬에 대해 묻지 않고 단호히 말했다.

"이 구슬은 돌려줄 수 없다. 일전에 내가 잃어버렸던 구슬이 틀림없으니 내 것이다."

동자승도 구슬을 내달라고 떼를 쓰지 않았다.

한편 당나라를 떠나 신라로 돌아온 동자승에게 사람들은 전처럼 관심을 가져 주지 않았다.

"참으로 무심하구나. 사람들의 인기를 얻는다는 것이 마치 물거품 같은 일이로구나. 이제는 내 자리로 돌아가 불도에 힘써야겠다."

동자승은 이 일로 인해 깨달은 바가 컸다.

동자승은 서운한 마음을 접고 전에 머물던 절로 찾아가 큰 스님들의 시중을 들었다.

## 당나귀 귀

신라 제47대 헌안왕 때의 일이다.

여러 왕족 중에 김응렴이라는 한 젊은이가 있었다. 18세에 화랑으로 뽑힌 그는 전국을 돌아다니며 몸과 마음을 단련시켰다.

'아, 나도 벌써 장부의 나이가 다 되었구나. 앞으로는 학문과 무예에 힘을 써 더욱더 정진해야겠다.'

이렇게 작정한 때문인지 그의 실력은 나날이 향상되어 갔다.

이렇게 하여 여러 곳에서 몸과 마음을 수련시킨 지도 벌써 2년이란 세월이 흘렀다.

헌안왕은 솜씨가 뛰어난 화랑 몇몇을 불러 잔치를 열어 주었다.

"자, 오늘은 마음을 풀고 이 자리를 즐기도록 하라."

왕은 그 곳에 모인 화랑들을 돌아보며 그 동안의 노고를 격려하였다. 화랑들은 각지를 돌며 겪었던 일을 서로 이야기 나누었다.

응렴의 차례가 되었다.

"낭은 각지를 돌면서 깨달은 바가 있느냐?"

"예, 많은 것을 듣고 보았습니다."

"그래, 그 중에 짐에게 들려 줄 이야기가 있느냐?"

자못 궁금한 듯이 묻는 왕에게 응렴은 어떤 이야기를 해야 할지 잠시 망설였다.

'아, 그래. 세 사람 이야기를 해 드리면 되겠다.'

응렴이 왕에게 말했다.

"국선이 되어 여러 사람들을 만나보았는데, 그 중에 세 사람의 모습이 가장 기억에 남습니다."

"세 사람의 일이라……."

"예, 처음 본 사람은 학문과 덕망이 뛰어나 마땅히 높은 벼슬을 해야 할 사람인데, 겸손한 탓에 남의 밑에 있는 사람입니다."

"겸손하여 아랫자리에 머물러 있는다…… 그럼 두 번째 사람은 어떤 사람인가?"

"예, 가진 것이 풍부하고 여유롭지만 그 씀씀이가 헤프지 않은 자가 그 두 번째 사람입니다."

"그럼 마지막으로 만난 사람은 어떤 사람인가?"

"귀하고 세력이 있음에도 불구하고, 위세를 함부로 드러내지 않는 사람입니다."

왕은 응렴의 조리 있는 말을 듣고 속으로 감탄했다.

'어진 세 사람을 알아볼 줄 아는 이 화랑이야말로 훌륭한 사람이다.'

왕은 다른 화랑에게도 질문을 하여 그들의 말을 귀담아 들었다.

어느덧, 날이 어두워지자 왕은 잔치 자리를 끝내려고 했다.

"오늘 여러 화랑과 함께 유쾌한 이야기를 나누게 되어 마음이 매우 흡족하오. 이후로도 이런 자리를 마련할 테니, 좋은 말씀 들려 주기 바라오."

자리를 정리하고 다들 돌아가려고 하자, 왕은 응렴에게 긴히 할말이 있다고 남아 있기를 권했다.

왕과 자리를 같이 하게 된 응렴은 무슨 일인가 궁금했다.

"자네에게 물어볼 말이 있어 잠시 남으라고 했네."

"무슨 말씀이온지……."

"자네만 허락한다면 내 사위로 삼고 싶네."

"옛?"

갑작스런 왕의 말에 놀란 응렴은 심장이 멎는 듯했다.

왕은 응렴의 심정을 아는지 모르는지 계속 이야기했다.

"내게 딸이 둘 있으니 그 중 하나를 선택하여 내 사위가 되어 주게."

"황공하옵니다."

"지금 당장 결정하기는 어려울 테니, 집에 돌아가서 잘 생각해 본 뒤에 말해 주게."

집으로 돌아온 응렴은 곧 부모님이 머물고 있는 처소로 찾아갔다.

"아버님, 어머님. 소자 지금 돌아왔습니다."

"그래, 들어오너라."

방으로 들어간 응렴은 다소곳하게 앉았다.

"늦었구나. 무슨 일이라도 있었느냐?"

"예, 임금님께서 화랑들에게 잔치를 베풀어 주셨습니다. 모두들 즐겁게 음식을 먹고 이야기를 나누다가 지금 마치고 돌아오는 길입니다."

"그랬구나. 밤이 깊었으니 네 방으로 돌아가서 쉬거라."

응렴은 왕의 이야기를 부모님에게 여쭙기 위해 잠시 머뭇거렸다.

"네 눈치를 보니 할 말이 있는 게로구나."

"예, 드릴 말씀이 있습니다. 오늘 잔치를 끝내고 임금님께서 조용히 저를 부르셨습니다."

"임금님께서 네게 할 말씀이 있으셨던 게로구나."

부모님은 응렴의 다음 이야기가 궁금한 듯 바싹 다가앉았다.

"저를 보자고 했던 것은 다름이 아니라 저를 사위로 맞아들이겠다는 말씀을 하기 위해서였습니다. 제가 당황해하자 며칠 생각할 시간을 주셨습니다."

"그게 정말이냐?"

부모님은 아들의 말이 믿기지 않는다는 표정이었다.

"예, 두 따님 중에 한 명을 선택하라 하셨습니다."

"허, 우리 집에 경사가 났구나. 그런데 두 따님이라면 내가 뵌 적이 있는데……."

아버님은 잠시 두 공주님의 모습을 떠올려 보았다.

'맞아, 큰 공주님은 못생겼던 것 같아. 둘째 공주님은 선녀처럼 아름다운 모습이었지.'

무릎을 꿇고 앉아 부모님의 허락을 기다리던 아들을 향해 아버지는 마음을 굳힌 듯 결정을 내렸다.

"두 공주님 중 큰 공주는 인물이 보잘것없지만, 작은 공주는 뛰어난 미인으로 알고 있다. 아비 생각으로는 둘째 공주를 네 아내로 맞아들이는 게 좋을 것 같다."

"아버님 말씀대로 따르겠습니다."

"그럼 오늘은 이만 쉬거라."

부모님의 방을 물러나온 응렴은 자신의 거처로 돌아왔다.

응렴이 왕의 사위가 된다는 소문은 잔치 자리를 함께 했던 다른 화랑들의 입을 통해 사방에 알려졌다.

이 소문을 듣고, 응렴이 인솔하고 있는 낭도의 한 사람인 범교사가 찾아왔다.

"어서 오게. 그리로 앉게나."

응렴은 자신의 집을 찾아온 범교사가 더없이 반가웠다.

"여봐라, 여기 차를 좀 내오거라."

하인이 내온 차를 한 잔 마신 범교사는 응렴의 눈치를 살피다가 대뜸
물었다.

"궁금한 것이 있습니다. 소문에 의하면, 임금님께서 공을 사위로 맞
이한다고 하던데 사실입니까?"

"하하하!"

응렴은 무슨 일인지 궁금해하는 범교사의 얼굴을 보자 웃음이 터져
나왔다.

"사실일세."

소문이 사실임을 확인한 범교사는 다시 한 번 물었다.

"임금님께서는 두 분의 공주님이 계신데, 공은 어느 분을 선택하시겠
습니까?"

"그러잖아도 부모님께 그 일을 상의 드렸다네. 부모님은 아름다운 둘
째 공주를 며느리로 맞고 싶어하신다네."

"그럼, 공도 그렇게 하기로 하셨습니까?"

범교사가 묻자 응렴은 잠시 머뭇거렸다.

"아직 확실하게 정한 것은 아니지만, 부모님 말씀을 따르고 싶네."

그러자 범교사는 손을 내저으며 말렸다.

"안 됩니다. 제 생각은 다릅니다. 부디 첫째 공주님을 아내로 맞이하
십시오."

"그건 왜 그러나?"

범교사는 그 이유를 말해 주었다.

"제 말을 들으십시오. 낭께서 첫째 공주를 선택하신다면 이후로 반드
시 세 가지 좋은 일이 생길 것입니다."

"세 가지 좋은 일이라니?"

"지금은 당장 말씀드리기 어렵습니다. 하지만 시일이 흐른 뒤에 아시

게 될 것입니다."

"당신의 슬기와 지혜로움은 잘 알고 있지만 부모님의 말씀을 어긴다
는 것은 불효를 하게 되는 것이오."

응렴이 이렇게 대꾸하자 범교사가 단호히 말했다.

"만일 공께서 둘째 공주님을 선택하신다면 저는 다시는 공을 보지 않
을 것입니다. 아니, 이 자리에서 목숨을 끊고 말겠습니다."

응렴은 범교사의 충심 어린 설득에 감동하였다.

'나를 위해 목숨까지도 내놓겠다니, 대단한 사람이로구나. 마치 앞으
로 일어날 일을 알고 있는 것 같구나.'

응렴은 충고를 받아들이기로 마음먹었다.

"고맙소. 어리석은 나를 위해 그토록 간곡히 충고를 해 주다니. 내 그
대의 말을 따라 첫째 공주를 선택할 것이오."

"잘 생각하셨습니다. 앞으로 두고 보시면 알게 될 것입니다."

범교사는 자신이 바라는 대로 응렴이 마음을 돌려 주자 매우 기뻤다. 그리고는 집으로 돌아갔다.

응렴은 범교사가 돌아가고 난 뒤 부모님을 찾아뵈었다.

"아버님, 어머님. 소자 아내를 맞아들이는 문제를 다시 의논 드리러 왔습니다."

"둘째 공주님으로 정하지 않았느냐?"

"소자 정신을 맑게 한 후 생각해 보았습니다. 첫째 공주님을 제 아내로 삼는 것이 옳을 것 같습니다. 허락해 주십시오."

부모님은 첫째 공주가 인물이 못한 것이 마음에 걸렸다. 하지만 아들의 선택을 따르기로 했다.

"저를 믿고 따라 주셔서 감사합니다."

며칠 뒤, 궁에서 전갈이 왔다.

"왕명입니다. 공주님을 맞을 마음의 준비가 되었는지 알아보라 하셨습니다."

"예, 임금님의 말씀대로 공주님을 아내로 맞아들이겠습니다."

"그렇다면 두 공주님 중 어떤 분을 택하시겠습니까?"

응렴은 서슴없이 대답했다.

"임금님의 맏공주님을 아내로 받아들이겠습니다."

왕의 심부름을 온 사자는 궁으로 돌아가 사실대로 보고했다.

"역시 내가 사람을 잘 보았구나."

왕은 몹시 흡족해하며 곧 혼인 날짜를 잡아 예식을 올렸다.

응렴이 맏공주와 혼인을 한 지 석 달이 흘렀다.

헌안왕은 알 수 없는 병에 걸려 위독한 지경에 이르렀다. 왕은 자신의 운명을 예감했는지 여러 신하들을 불렀다.

"불행히도 내게는 아들이 없으니 내가 죽거든 마땅히 첫째 공주의 남편인 응렴이 왕위에 올라야 할 것이오."

왕의 말씀에 아무도 다른 말을 하는 신하가 없었다.

다음 날, 왕은 그만 세상을 하직하고 말았다.

헌안왕의 유언대로 응렴이 왕위에 올랐다.

그리하여 신라 제48대 경문왕이 되었다.

궁 안에서 잔치가 벌어지고, 각지에서 사람이 올라와 축하해 주었다. 범교사도 새 왕을 뵈러 궁 안으로 들어왔다.

"축하드립니다. 지난날 제가 말씀드린 일이 생각나십니까?"

"하하. 이렇게 찾아와 주어 고맙네. 자네가 한 말을 잊을 리가 있나? 그 때 지금의 왕비를 선택하면 세 가지 좋은 일이 있을 것이라고 하지 않았나?"

"맞습니다. 아직도 잊지 않으셨군요."

"그 때는 무작정 맏공주와의 혼인을 강요만 했지, 그 세 가지 일에 대해서는 구체적으로 말해 주지 않았지 않나?"

범교사는 미안한 듯한 표정을 지었다.

"그 당시에는 말씀드릴 수가 없었습니다. 단지 세월이 지난 뒤에 자연히 알게 되리라고 믿었습니다."

"이제는 세 가지 좋은 일에 대해 말해 줄 수 있나?"

범교사는 당연하다는 듯 말씀을 드렸다.

"전날 제가 맏공주를 맞이하게 되면 세 가지 좋은 일이 있을 것이라 했습니다. 첫 번째 좋은 일은 맏공주와 혼인을 했기 때문에 왕위에 오르신 일입니다. 두 번째로 좋은 일은 왕이 되신 지금 마음만 먹으면 아름다운 둘째 공주도 아내로 맞아들일 수 있다는 것입니다."

"그럼 마지막으로 세 번째는 무엇이냐?"

"돌아가신 선왕과 왕비님이 매우 흡족해하셨다는 것입니다."

새 왕이 된 경문왕은 비로소 고개를 끄덕이며 범교사의 말에 동감의 표시를 했다.

"지난날 자네 말을 듣지 않았더라면 오늘의 내가 없었을 것일세."

"다 임금님이 높은 덕을 쌓았기 때문에 그렇게 된 것입니다."

범교사는 임금님이 된 응렴을 바라보는 것만으로도 행복했다.

"자네의 고마움에 조금이라도 보답하고자 벼슬과 금 130냥을 줄 테니 거절하지 말고 받아 주게."

범교사는 감사의 절을 올리고 그 자리를 물러나왔다.

또한 경문왕에게는 두 가지 이상한 일화가 전해져 내려온다.

그 하나가 바로 뱀과 함께 잠을 자는 일이었다. 경문왕의 침실에는 그 수를 셀 수 없을 정도의 많은 뱀이 몰려들곤 했다.

"에그, 저게 무언가?"

"저건 뱀이 아닌가!"

"누가 뱀인 줄 모른다고 했나. 웬 뱀들이 떼를 지어 임금님의 처소에 머무르니 이게 웬일인가?"

그러자 한 신하가 말했다.

"이런 사람 보게나. 저렇게 많은 뱀들이 임금님이 주무실 때면 함께 잠을 잔다는 사실을 모르고 있었나?"

"뭐라고, 그게 정말인가?"

"그렇다네. 나도 처음에는 놀라 기겁을 했지. 한번은 이런 일도 있었다네."

뱀 이야기를 들려주던 신하는 혹시 누가 들을세라 잠깐 말을 멈추고 주변을 두리번거렸다. 아무도 없음을 확인하고 이야기를 계속했다.

"글쎄, 궁에 있는 사람들이 뱀이 징그럽기도 하고 물릴까 봐 두렵기도 해서 임금님 몰래 뱀을 쫓아 내려 한 적이 있었네."

"그래서 어찌 되었나?"

"임금님이 어떻게 아셨는지 뱀을 쫓으려 한 신하가 결국 임금님 앞에 불려가게 되었지."

신하의 이야기는 점점 흥미로워졌다.

"임금님께서는 잘 했다고 하셨겠지?"

"그게 아닐세. 임금님은 그 신하를 보고 이렇게 말씀하셨다네. '뱀들이 없으면 편히 잠을 잘 수가 없으니 그냥 두도록 해라. 앞으로 뱀을 내쫓다가 발각되는 날에는 벌을 내릴 것이다' 라고 말일세."

"도무지 알 수가 없는 일이군."

경문왕의 괴상한 잠버릇을 들은 신하는 믿기지 않는 일이라는 듯 고개를 갸웃거렸다.

왕의 침실을 들여다본 신하의 말에 의하면, 왕이 잠이 들 때면 뱀들은 긴 혀를 날름거리며 왕의 가슴 위를 오락가락한다는 것이었다.

경문왕의 또 하나의 괴상한 이야기는 다음과 같다.

왕위에 오른 뒤로 경문왕에게 한 가지 큰 고민이 생겼다.

'어째 내게 이런 일이 생겼을까?'

혼자 멍하니 앉아 시름에 젖어 있는 그의 모습이 예전과 달라 보였다.

'하필이면 귀가 당나귀 귀처럼 길어질 게 뭐람.'

불평을 해 보아도 소용이 없는 일이었다. 거울을 보고 있으면 한숨 소리가 저절로 입 밖으로 흘러나왔다.

왕은 복두(왕이나 귀인이 머리에 쓰던 관)를 만드는 장인을 불렀다. 왕궁으로 들어온 장인은 왕 앞으로 불려갔다.

"자네가 소문난 복두장이인가?"

"과분한 말씀입니다. 다만 최선을 다해 만들려고 노력하고 있습니다."

"내 긴히 자네에게 할 말이 있네."

왕은 곁에 있는 사람들을 다 물러가라고 한 후, 복두장이와 둘만 남았다.

"내게 말 못할 비밀이 하나 있네."

갑자기 안색이 어두워지는 왕을 보고 모자를 만드는 기술자는 긴장을 했다.

"언제부터인지 알 수는 없지만, 귀가 정상인보다 몇 배 길어져 마치 당나귀 귀처럼 변했다네."

"옛? 당나귀 귀라구요?"

복두장이는 왕 앞이라는 사실도 잊은 채 소스라치게 놀라며 되물었다.

"내 자신도 익숙지 않은 내 모습에 놀라 까무러칠 지경인데, 자네가 놀라는 것도 당연하지."

"그게 아니라……."

왠지 왕에게 미안한 마음이 든 복두장이는 말을 얼버무렸다.

"이 사실을 이야기한 것은 자네가 처음일세. 이 비밀은 자네가 죽어서 무덤까지 가지고 가야 하네. 알겠는가?"

"예, 분부대로 하겠습니다."

"이제 내 모습을 보여 줄 테니, 귀를 덮을 만한 관을 하나 만들어 주게. 웬일인지 아직도 귀가 계속 자라는 것 같네. 관이 작아서 귀가 빠져 나올 지경이니 말이야."

복두장이는 괴상한 일을 당한 왕이 불쌍하기도 했지만, 어서 빨리 눈으로 그 사실을 확인하고 싶었다.

"자 그럼 머리에 썼던 관을 벗겠네."

"……."

왕이 천천히 관을 벗자, 말로만 듣던 당나귀 귀를 처음 본 복두장이는 소스라치게 놀랐다.

"아니, 이럴 수가!"

관을 벗어 버린 임금님의 귀는 마치 당나귀 귀를 떼어다 붙여 놓은 것 같았다.

그 후, 괴상한 일을 혼자만 알게 된 복두장이는 왕의 비밀을 평생 지키며 살자니 가슴이 답답했다.

'아, 이 일을 혼자만 알고 있으려니, 가슴속이 답답하구나. 하지만 이 일이 사람들에게 알려지는 날에는 내 목숨은 죽은 것이다.'

그가 왕궁에 들러 일을 마치고 마을로 돌아올 때면 주변 사람들이 지나는 말로 묻곤 했다.

"여보게, 우리 같은 사람은 임금님 얼굴을 평생 한번 보기도 힘든데, 자네는 자주 뵈니 참 부럽네."

"맞아. 그런데 도무지 임금님에 대해서는 아무 말도 하지 않으니……."

"그러니 오늘은 임금님의 모습이 어떤지 얘기 좀 해 보게."

궁에 들어갔다 돌아올 때면 행여나 누가 물어볼까 서둘러 집으로 돌아갔던 복두장이를 만난 마을 사람들이 오늘은 한꺼번에 말을 붙여 왔다.

"이 사람들, 무엇이 그리 궁금한가? 임금님이라고 코가 두 개인가? 입이 두 개인가. 우리처럼 똑같은 모습을 하고 계시다네. 단지……."

"단지 무언가?"

사람들은 귀를 바짝 대고 복두장이의 다음 말을 기다렸다. 복두장이는 순간 아차 하는 생각이 들었다.

'아차, 내가 실수를 할 뻔했구나. 하마터면 임금님의 귀가 당나귀 귀인 것을 말해 버릴 뻔했네.'

그는 급히 말을 끊고 둘러 대기 시작했다.

"단지 그 너그러운 마음은 마치 바다와 같이 넓다네."

"치, 난 또 임금님의 머리에 뿔이라도 난 줄 알았지."

"하하하, 이 사람. 임금님이 도깨비인가? 난데없이 뿔은 왜 들먹거리는가?"

마을 사람들은 웃음을 터뜨렸다.

그 뒤로 복두장이는 말 못할 이야기를 담아 두고 있느라 그만 병이 나고 말았다.

'아, 이제 내가 죽을 때가 되었구나! 하고 싶은 말을 참고 살아간다는 것은 참으로 어려운 일이로구나. 그 동안 잘 참고 살았으니, 마지막으로 큰 소리로 털어놓고 싶구나.'

그는 도림사라는 대나무 숲을 찾았다.

"이 곳은 인적이 드문 곳이니, 여기서 맘껏 소리를 질러야겠다."

그는 대나무 숲을 향해 큰 소리로 외쳤다.

"임금님 귀는 당나귀 귀!"

그 동안 말을 못해 답답했던 마음이 뻥 뚫리는 것 같았다. 그는 다시 한 번 주위를 두리번거려 사람이 없음을 확인하고는 또 소리쳤다.

"우리 임금님 귀는 당나귀 귀다. 임금님 귀는 당나귀 귀!"

대나무 숲을 향해 한참을 그렇게 소리친 후 그는 집으로 돌아왔다. 그리고 며칠 안 되어 세상을 떠나고 말았다.

그런데 그 뒤로 이상한 일이 일어났다. 바람이 부는 날에는 영락없이 대나무 숲에서 이런 소리가 메아리쳤다.

"임금님 귀는 당나귀 귀, 임금님 귀는 당나귀 귀……."

대나무 근처에 사는 마을 사람들은 대부분 대밭에서 울려 나오는 소리를 들었다.

"여보게, 자네도 들었나?"

"무얼 말인가?"

"바람이 불 때면 대밭에서 들려오는 소리 말이야."

"들었지. 임금님 귀는 당나귀 귀라고. 그런데 그 소리가 정말인가?"

"그야 모르지. 낸들 임금님 얼굴을 봤어야 말이지."

마을 사람들은 이상한 일이라는 듯이 수군거렸다. 이 소문은 입에서 입으로 전해져 이웃 마을로 번져 갔다.

그리하여 삽시간에 온 나라에 퍼져 궁궐까지 들어갔다.

대밭에서 울려 나오는 소리에 관한 소문을 들은 한 신하가 왕에게 아뢰었다.

"임금님, 백성들 사이에 이상한 소문이 돌고 있습니다."

"그래, 무슨 소문인가?"

"저, 말씀드리기가……."

"무슨 소문이길래 그리 망설이고 있는가? 어서 말해 보게."

"그럼 말씀드리겠습니다. 요즘 항간에서는 한 대밭에서 울려 나오는 소리를 두고 사람들이 수군거린답니다. 임금님 귀는 당나귀 귀라는 소리가……."

신하의 입에서 당나귀 귀라는 소리가 나오자 임금의 얼굴이 하얗게 질렸다.

"뭐라고. 내 귀가 어쨌다고?"

"임금님, 고정하십시오. 단지 소문일 뿐입니다."

"그 대밭이란 곳이 어디냐? 내 당장 가서 사실을 확인하고 오겠다."

왕은 화를 내면서도 한편으로는 걱정이 되었다.

'아, 이 일은 나와 복두장이만이 알고 있는데, 어찌 대밭에서 당나귀 귀라는 소리가 들려온단 말인가?'

왕은 신하를 앞세워 소문이 난 대밭으로 가 보았다. 인적이 드문 그곳에 마침 바람이 불기 시작했다.

"임금님 귀는 당나귀 귀, 임금님 귀는 당나귀 귀……."

신하와 같이 듣고 있는 게 민망할 만큼 그 소리는 명확하게 들려왔다.

'아, 이 일을 어쩌면 좋단 말인가? 옳거니, 저 대밭을 없애 버리기로 하자.'

이렇게 작정한 왕은 군사들을 시켜 대나무 밭을 베어 버리라고 했다. 베어 버린 자리에는 산수유 나무를 심게 했다.

'휴, 이제는 이상한 소문이 돌지 않겠지.'

그제야 왕은 안심할 수 있었다.

"여봐라. 대밭으로 가서 그 소리가 들리는가 확인해 보거라."

명령을 받은 신하가 산수유가 심어져 있는 곳으로 가 보았다. 그러자 이번에는 이런 소리가 들려왔다.

"임금님 귀는 길다. 임금님 귀는 길다."

신하는 왕에게 그대로 전하였다.

'아, 진실은 참으로 감추어질 수 없는 것이로구나. 시일이 걸린다고 해도 언젠가는 밝혀지게 마련인가 보다.'

왕은 이제 더 이상 나무를 없애 버리려고 하지 않았을 뿐 아니라, 자신의 모습을 더 이상 숨기려고 애를 쓰지도 않았다.

# 처용랑

신라 제49대 헌강왕 때는 태평 세월이었다.

"오늘은 이웃집 돌이네가 잔치를 한다지."

"그렇다는구만. 점심은 돌이네에서 먹기로 하세."

"올해도 농사가 풍년이고, 먹을 것이 넉넉하여 사람들 입에서 웃음이 떠나질 않네."

"암, 우리 마을만 해도 초가집이라곤 찾아볼 수가 없을 정도로 사람들이 풍족하게 살고 있지 않나."

헌강왕 시절에는 기와집이 즐비하고, 백성들의 입에서는 콧노래가 흘러나왔으며, 기후는 큰 변화가 없이 사철 순조로웠다.

"백성들의 생활을 잘 살펴 불편함이 없도록 하라."

"예, 분부대로 거행하겠습니다."

신하들은 왕의 명을 받들어 항상 백성들에게 관심을 두고 민가를 둘러보곤 했다.

하루는 왕이 개운포로 나들이를 나갔다. 신하들과 더불어 그 곳을 둘러보고 오던 길이었다.

"여기서 잠시 쉬었다 가자."

왕과 신하들은 바닷가 근처에 자리를 잡고 앉아 피곤한 몸을 쉬었다. 그 때 어디서 몰려왔는지 구름과 자욱한 안개가 하늘을 온통 뒤덮어 버렸다.

"아니, 조금 전까지 맑던 하늘이 이게 웬일인가?"

한 치 앞도 분간할 수 없게 되자, 왕의 일행은 당황스러웠다.

"임금님, 이를 어쩌면 좋습니까? 앞으로 한 발자국도 나갈 수 없을 정도로 사방이 어두컴컴합니다."

길을 인도하던 군사 한 명이 왕에게 아뢰었다.

"길을 찾을 수가 없습니다. 안개가 걷히기 전에는 움직일 수가 없습니다."

"어허, 이거 참 큰일이로구나."

그 때 왕의 곁을 지키고 있던 일관이 나섰다.

"제가 아는 바로는 동해 바다의 용왕이 조화를 부린 때문인 것 같습니다."

"그래? 그렇다면 그 해결책도 알고 있는가?"

"예. 용왕의 화가 풀릴 수 있는 좋은 일을 해 주어야 합니다."

"어떤 일을 해 주어야 용왕의 화를 풀 수가 있겠나?"

일관은 잠시 생각을 하였다.

"이 근처에 용왕을 위한 절을 짓는 게 좋겠습니다."

"여봐라, 이 곳에 절을 짓도록 하라."

왕의 명령으로 그 곳에 용왕을 위한 절을 짓기 시작했다. 그러자 갑자기 어두컴컴했던 날이 밝아지더니, 구름과 안개도 차차 걷혔다.

그 곳은 나중에 구름이 걷힌 곳이라 하여 개운포라 불리었다.

안개가 흩어지자, 바닷가 한가운데에서 솟아오른 용왕은 일곱 명의 아들을 데리고 나타났다.

불쑥 나타난 용왕은 절을 세워 준 왕에게 감사의 말을 전하고 음악을 연주하며 덩실덩실 춤을 추었다.

"절을 세워 주신다니 이 은혜를 어떻게 갚아야 할지 모르겠습니다. 제게는 일곱 명의 재주 있는 아들이 있습니다. 그 중 한 명을 임금님에게 보낼 테니, 앞으로 나라를 다스리는 훌륭한 일에 써 주시기 바랍니다."

말을 마친 용왕은 한 명의 아들만을 남겨 둔 채, 물 속으로 사라졌다.

왕의 일행은 용왕의 아들을 데리고 그 곳을 떠나 무사히 궁궐로 돌아왔다. 왕은 용왕의 아들을 처용이라 이름지었다.

"처용아, 네게 벼슬을 주마. 그리고 아내를 정해 줄 테니 혼인을 하도록 해라."

"성은이 망극하옵니다."

왕은 처용의 남다른 재주를 어여삐 여겼다. 그래서 그가 다시 용궁으로 돌아가지 못하도록 급간이라는 벼슬과 아름다운 여인을 짝지어 주었다.

땅에서 즐거운 나날을 보내던 처용에게 시련이 닥쳐왔다.

처용이 사는 곳에 역신(병을 옮기는 귀신)이 나타나 이곳 저곳에 질병을 옮기고 있었기 때문이다.

"어디 용왕의 아들이 산다는 곳에도 들어가 볼까?"

역신은 처용의 집으로 들어갔다.

그 때 마침 처용은 친구들과 놀러 나간 뒤라 집에 없었다.

"저 여자는 누굴까? 아, 그렇지. 그의 아내로구나."

역신은 처용의 아내를 흘낏 쳐다보았다.

"아, 정말 아름답다. 내가 본 여자 중에 가장 예쁘구나."

처용의 아내에게 반한 역신은 음흉한 생각을 하였다.

'이 모습으로 저 여자 앞에 나타나면 필시 놀라 도망가 버릴 거야. 내일 다시 사람의 모습으로 변하여 찾아와야겠다.'

작정을 한 역신은 다음 날 밤, 처용이 나간 틈을 타 처용의 집으로 갔다.

역신은 여인을 꾀어 정을 통했다.

밤이 깊어서야 집으로 돌아온 처용은 아내와 함께 잠들어 있는 역신을 보았다. 화가 울컥 치밀어올랐다.

'저놈을 끌어 내 혼을 내 주어야겠다.'

하지만 처용은 한편으로 아내를 빼앗긴 자신이 처량했다. 그는 우울한 마음을 노래에 담아 춤을 추면서 집을 나왔다.

처용이 부른 노래는 다음과 같다.


서울 밝은 달에 밤늦게 놀다가

돌아와 자리 보니 다리가 넷이로구나.

둘은 내 것이지만 둘은 뉘 것인고

본래 내 것이언만 빼앗긴 걸 어찌하리.


처용의 노래를 듣고 난 역신은 본래의 모습으로 돌아와 용서를 빌었다.

"잘못했습니다. 공의 아내가 너무도 아름다워 그만 실수를 하고 말았습니다. 그런데 공은 화를 내지 않고 그냥 집 밖으로 나가 버리니, 제가 어찌할 바를 모르겠습니다. 공의 은혜에 보답하고자 앞으로 공의 모습을 그린 그림을 보면 그 집에는 얼씬도 하지 않겠습니다."

그 후로 역신은 처용과의 약속을 지켰다.

그 뒤 사람들은 처용의 얼굴을 그린 그림을 문 앞에 붙여 두어, 나쁜 귀신이 집 안에 들어오는 것을 막았다.

"우리 아이가 요 며칠 새 밥은 입에도 대지 않고 보채기만 하네."

"저런, 의원에게는 보였나?"

"아이의 증세로 봐서는 큰 병은 아니라고 하네만……."

"혹시 집 앞에 처용을 그린 그림을 붙여 두었나?"

"그건 무슨 소리인가?"

병 들은 아이의 아비가 바짝 다가앉으며 궁금한 듯 물었다.

"아마도 자네 아이가 아픈 이유는 귀신이 들려서 그런 것 같네. 예전에 본 어떤 사람도 병명도 없이 시름시름 앓다가 죽은 적이 있네만, 들리는 소문에 의하면 귀신이 그 사람 몸에 붙어 있어서 그런 것이라고 하더군."

"아, 그럼 우리 애도……."

"하지만 귀신을 물리칠 방법이 있네."

"어떻게 말인가?"

"조금 전에 내가 말하지 않았나? 집 안에 처용의 그림을 붙여 두면 귀신들이 얼씬도 하지 않는다네."

아이의 아비는 마을 사람이 일러 주는 대로 하기 위해 서둘러 집으로 돌아갔다.

그 후로 처용의 모습을 그려 놓으면 귀신을 물리칠 뿐만 아니라, 복을 받는다고 하여 많은 사람들이 문 위에 붙이곤 했다.

동해 바닷가에서 돌아온 왕은 영취산 동쪽에 전망 좋은 곳을 잡아 절을 짓고 그 이름을 망해사라고 했다.

한번은 왕이 포석정에 놀러 간 적이 있었다. 그 때 왕 앞에 남산의 산신령이 나타났다.

"처음 뵙는 분 같은데, 대체 누구시오?"

"나는 이 산의 신령이오."

간단히 대답을 한 산신령은 어깨를 흔들며 춤을 추기 시작했다. 왕은 같이 온 신하들을 돌아보며 말했다.

"이제까지 보지 못했던 춤이로다."

신하들은 왕의 말을 듣고 주변을 둘러보았다.

"임금님, 저희들 앞에는 아무것도 보이지 않습니다."

눈을 크게 뜨고 여기저기를 찾아보아도 보이는 것은 높이 솟은 산뿐이었다.

"뭐라고? 눈앞에서 춤을 추고 있는 저 산신령이 보이지 않는다는 말이냐?"

왕은 성을 버럭 냈다. 그리고는 자신의 이야기를 믿지 못하는 신하들을 위해 산신령의 춤을 똑같이 따라 했다.

"자, 내가 산신령의 춤을 그대로 해 볼 테니 잘 보거라."

신하들의 눈에는 단지 왕이 어깨춤을 추는 모습만이 보였다. 춤을 추고 난 왕이 신하들에게 일렀다.

"안 되겠다. 가서 그림 그리는 도구를 가져오도록 해라."

신하들은 왕의 명령대로 그림 도구를 가져왔다. 왕은 무언가를 그리기 시작했다.

"자, 잘 보거라. 이제부터 신령님의 모습을 그려 낼 테니."

왕은 눈앞에 보인다는 신령님의 모습을 쓱쓱 그리기 시작했다.

그 뒤로도 왕은 이런 일을 되풀이하였다. 금강령이라는 곳에 행차했을 때도 신령님이 나타나 춤을 춘다고 말했고, 또 동례전의 전각에서 잔치를 벌였을 때도 땅의 신이 나타나 춤을 춘다고 말했다.

왕과 백성들은 이와 같은 일을 경사스러운 일로 받아들였다. 하지만 이것은 신라의 멸망을 예고한 것이었다.


## 거타지


신라 제51대 진성 여왕 때의 일이다. 여왕의 막내아들인 양패가 당나라에 사신으로 가게 되었다.

"떠나기 전에 준비할 것이 있소."

"무엇입니까?"

양패는 당나라로 함께 떠나는 신하에게 주의를 주었다.

"들리는 소문에 의하면 후백제의 해적이 서해안의 진도에서 그 곳을 지나는 사람들을 해치고 물건을 빼앗는다고 하오."

"그럼 어찌합니까?"

양패의 말을 들은 신하는 지레 겁을 먹었다.

"활 잘 쏘는 사람들을 선별하여 데리고 가도록 합시다."

신하는 곧 활쏘기에 능한 사람 50명을 뽑아 함께 길을 떠났다.

신라를 출발한 배가 곡도 앞에 당도하자, 갑자기 비바람이 몰아치기 시작했다.

"배가 심하게 흔들려 앞으로 나아갈 수가 없습니다."

풍랑으로 인해 배가 금방 물결에 휩쓸려 부서질 것만 같았다.

"이 곳에서 멈출 수는 없다. 힘을 내어 앞으로 전진하라."

양패의 호령에도 불구하고 그들이 탄 배는 더 이상 나아가지 못했다. 할 수 없이 배를 돌이켜 비바람이 약해질 때까지 곡도에서 머물기로 했다.

그 곳에서 머문 지 십여 일이 지났다. 한시가 급한 때인지라 양패는 더 이상 기다릴 수가 없었다.

"점을 볼 줄 아는 사람을 데려오너라."

양패의 명을 받고 점을 잘 친다는 사람이 불려왔다.

"비바람이 그치지를 않고 있으니, 무슨 이유인지 모르겠다. 네가 점을 쳐 알아볼 수 있겠느냐?"

점쟁이는 두 눈을 감고 잠시 생각에 잠겼다.

"하늘이 노하신 듯합니다. 섬 안에 신비한 연못이 있으니, 그 곳을 찾아 제사를 드리는 것이 옳을 듯합니다."

"곧 제사 지낼 준비를 하라."

양패는 연못에 정성스럽게 제사를 지냈다.

"아니, 저게 웬일인가?"

제사를 끝낸 양패 일행은 연못의 물이 하늘 높이 솟아오르는 것을 보고 소스라치게 놀랐다.

잠시 후, 솟아올랐던 물은 다시 연못 속으로 들어가 버렸다.

연못에 제사를 드린 그날 밤이었다. 양패 일행은 낮의 고단함을 잊고 깊은 잠에 빠져들었다.

꿈 속에서 웬 낯선 노인이 나타났다.

"앗, 당신은 누구시오?"

"나는 바다를 지키는 신이오. 오늘 낮에 정성을 들인 음식으로 연못에 제사 지내 주어 고맙소."

"신령님, 소원이 있습니다. 이 곳에 발이 묶여 있은 지가 벌써 열흘이 지났습니다. 비바람이 그치지를 않고 있습니다만……."

연못 속에서 나타난 노인은 벌써 다 알고 있다는 듯이 양패에게 방법을 일러 주었다.

"내 비바람을 잠재울 수 있는 방법을 일러 주겠소. 당신이 데리고 온 사람 중에 활 잘 쏘는 사람 한 명을 이 섬에 남겨 두도록 하시오."

"한 사람을 남겨 두어야 한다고요?"

노인의 말을 듣고 난 양패는 잠시 생각에 잠겼다. 양패가 고개를 들어 노인에게 말을 건네려고 했다.

그러나 이미 노인은 사라지고 연못은 잠잠했다.

"신령님, 신령님!"

양패는 사라진 노인을 부르다가 그만 잠이 깨고 말았다.

다음 날, 날이 밝자 양패는 함께 온 사람들을 불러 모았다.

"할 말이 있소. 어젯밤에 이상한 꿈을 꾸었소."

"무슨 꿈을 꾸셨습니까?"

"어제 제사를 올린 연못 속에서 바다를 지키는 신령이 나타나 내게 이 곳을 떠날 수 있는 방법을 일러 주었소."

"정말이십니까? 과연 제사를 드린 효험이 있군요."

사람들은 좋아라 하며 양패의 입만 바라보았다.

"그런데 그 방법이라는 것이 한 사람의 희생이 따라야 하는 것이오."

모두들 무슨 말인가 싶어 바짝 긴장했다.

"무슨 일입니까? 어서 말씀해 주십시오."

"우리 일행 중 활 잘 쏘는 사람 한 명을 이 곳에 남겨 두고 떠나야만 비바람을 잠재울 수 있다고 하였소."

일행은 잠시 할 말을 잃은 듯 조용히 자리를 지켰다. 양패가 침묵을 깨고 여러 사람을 향해 물었다.

"이 곳에 남을 사람을 어떻게 가리는 것이 좋겠소?"

양패의 물음에 일행 중 한 명이 방법을 제안했다.

"이 섬에 남을 사람도 분명 그 운명이 정해져 있을 것입니다. 여러 사람을 위해 자신이 원해서 이 곳에 남는다고 할 수도 있지만, 제 생각으로는 신의 선택을 받도록 하는 것이 좋을 듯합니다."

"어떤 방법으로 신의 선택을 확인한단 말이오?"

"예, 나무 조각 50개에 활 잘 쏘는 사람의 이름을 각각 적어 넣은 후, 물에 던져 넣는 것입니다."

"그리고는……."

"그런 연후에 자신의 이름이 적힌 나뭇조각이 물속에 가라앉는 자가 여러 사람을 위해 이 곳에 남도록 하는 것입니다."

섬에 남을 사람을 가리는 방법을 다 들은 사람들은 고개를 끄덕여 찬성을 했다.

결국 나뭇조각에 사람들의 이름을 적어 넣고 물속에 던져 넣어 섬에 남을 사람을 뽑기로 했다.

잠시 후, 나뭇조각이 물속에 첨벙 던져지자 사람들은 긴장했다.

'아, 제발 내 이름이 적힌 나뭇조각이 가라앉지 않게 해 주십시오.'

활 잘 쏘는 사람들은 저마다 마음속으로 빌었다.

드디어 거의 모든 나뭇조각이 물에 둥실 떠올랐다. 사람들은 긴장하며 한 곳을 바라보았다.

신하 한 명이 물 위로 떠오른 나뭇조각을 가지고 와 일일이 확인하였다.

"여기 마흔아홉 개의 나뭇조각이 물에 떠올랐소. 이름을 부를 테니 잘 들으시오."

결국 활 잘 쏘는 사람들 가운데 거타지라는 사람의 나뭇조각이 물 속에 가라앉은 사실을 알게 되었다.

"신의 뜻에 따라 거타지가 이 섬에 남아야겠소."

이름이 불려지자, 거타지는 아무런 불평이 없이 순순히 받아들였다.

"제가 남아야 할 운명이니, 나머지 사람들은 서둘러 이 곳을 떠나십시오."

양패는 이 곳에 남게 된 거타지에게 미안한 마음이 들었다.

"그렇게 생각해 주시니 정말 고맙소. 여러 사람이 이 곳을 떠나려면 그렇게 해야 한다니 나로서도 어쩔 도리가 없소."

"아닙니다. 신의 선택을 받아 저 한 사람으로 여러 사람을 구할 수 있다니 얼마나 다행스런 일입니까? 부디 몸조심하십시오."

거타지는 오히려 섬을 떠나는 사람들을 안심시켰다.

양패 일행은 섬에 남게 된 거타지에게 미안한 마음을 남겨 둔 채 서둘러 배에 올랐다.

드디어 배가 섬을 출발하게 되었다. 하늘은 거짓말처럼 맑게 개어 있었다.

"참으로 신기한 일이로다. 어제까지만 해도 비바람이 거세어 배를 띄울 수가 없었는데, 오늘은 언제 그랬냐 싶게 저렇게 잠잠해지다니……."

양패 일행은 당나라를 향해 순조롭게 항해할 수 있었다.

한편, 섬에 홀로 남겨진 거타지는 두렵기도 하고 쓸쓸하였다.

'아, 사람들은 아무 일 없이 잘 갔겠지? 이 곳에 혼자 있으려니 두려운 생각이 드는구나. 앞으로 내 운명은 어찌 되는 걸까?'

이런 저런 생각을 하며 바위 위에 걸터앉아 있을 때였다. 연못 속에서 뿌연 연기가 피어오르기 시작했다.

"앗! 무슨 일일까?"

거타지는 이상한 생각이 들어 연못 속을 뚫어져라 바라보았다.

뿌연 연기와 함께 수염이 긴 노인 한 분이 홀연히 나타났다. 거타지는 깜짝 놀라 벌떡 일어섰다.

"당신은 누구시오?"

"놀라지 마시오. 나는 서해 바다를 지키는 신이오. 당신에게 부탁할 것이 있어 내가 일을 꾸민 것이오."

"그럼, 내 이름이 적힌 나뭇조각이 물속에 가라앉게 한 것도 신령님이시란 말씀입니까?"

바다의 신은 대답 대신 고개를 끄덕였다.

"언제부터인가 해가 떠오를 때면 홀연히 한 스님이 나타나 염불을 외우며 이 연못을 돌곤 한다오. 세 번 정도 돌고 나면 나와 아내, 그리고 자손들이 차례차례 물 위로 솟구쳐 오른다오. 스님은 이 때를 기다려 내 자손 중에서 한 사람을 골라 간을 꺼내 먹는다오. 이렇게 하나씩 목숨을 잃고 이제 남은 것은 우리 부부와 딸뿐이오. 내일이면 다시 내 딸의 간을 먹으러 나타날 것이오."

신령의 이야기를 들은 거타지는 안타까운 마음이 들었다.

"제가 도움을 드릴 만한 일이 없겠습니까?"

"고맙소. 부디 부탁하니 내일 그 스님이 나타나거든 활로 쏘아 죽여 주시오."

"걱정 마십시오. 활을 다루는 일이라면 자신 있습니다."

거타지의 거침없는 대답에 신령은 안심을 하고 연못 속으로 사라졌다. 그날 밤, 거타지는 내일 사악한 스님을 만날 생각을 하니 잠이 오질 않았다.

'바다의 신에게 약속은 했지만, 사악한 스님을 없애는 일을 잘 해낼 수 있을까?'

걱정을 하던 거타지는 졸음에 겨워 깜빡 잠이 들었다.

아침이 되자, 한 줄기 빛이 거타지가 잠든 머리맡을 비추었다. 눈부신 햇살에 놀라 잠이 깬 거타지는 주위를 두리번거렸다.

'아, 그렇지. 연못의 신령님으로부터 부탁 받은 일이 있지. 그 스님이 신령님의 딸을 죽이기 전에 어서 활과 화살을 준비하여 기다려야겠다.'

이렇게 마음을 먹은 거타지는 잠시 후면 나타날 스님이 자신의 모습을 눈치채지 못하도록 연못 근처에 몸을 숨겼다.

해가 하늘 위로 떠올라 섬은 아침을 맞았다.

'조금만 기다리면 스님이 나타나겠지. 침착하게 활을 쏘아야 한다.'

자신에게 다짐을 하면서 신령이 말한 스님이 나타나기만을 기다렸다. 그 때 하늘에서 돌연 바람이 일어나더니 한 스님이 사뿐히 내려왔다.

'드디어 왔구나. 모습을 보니 보통 스님이 아니로구나.'

스님은 재빨리 연못 주위를 돌며 염불을 외기 시작했다.

'내가 있는 근처로 가까이 다가올 때 시위를 당겨야겠다.'

활을 든 거타지의 손에 땀이 배어 나왔다. 아무것도 눈치채지 못한 스님은 거타지가 숨은 곳 근처까지 다가왔다.

거타지는 이 때를 노려 정확히 화살을 쏘았다. 쿵 하고 쓰러지는 소리가 들려왔다.

'아, 명중이다.'

바위 뒤에 숨겼던 몸을 일으켜 쓰러진 스님의 곁으로 가까이 간 거타지는 깜짝 놀라 외마디 소리를 질렀다.

"앗!"

스님이 쓰러진 곳에는 늙은 여우 한 마리가 화살이 꽂힌 채 죽어 있었다.

'이게 어찌 된 일이지? 분명 스님을 보고 화살을 쏘았는데, 스님은

간 곳이 없고 여우 한 마리만 죽어 있네?'

여우에게 꽂힌 화살을 자세히 살펴본 거타지는 그제야 깨달았다.

'이 화살은 내가 쏜 게 틀림없다. 그렇다면 늙은 여우가 스님의 모습
으로 둔갑하여 나쁜 짓을 하고 다녔던 게로군.'

이윽고 연못에서 신령이 그 모습을 드러냈다.

"수고하셨소. 당신이 우리 부부와 딸의 목숨을 살려 냈소."

신령은 거타지에게 머리를 숙여 감사의 인사를 했다.

"당연히 해야 할 일을 했을 뿐입니다."

"내 당신의 은혜에 보답하는 뜻으로 내 딸을 드리니 부디 좋은 인연
을 맺기 바라오. 그리고 당신이 먼저 떠난 일행들과 함께 갈 수 있도
록 도와주겠소."

"소중한 따님을 제게 주신다니 몸 둘 바를 모르겠습니다."

바다의 신령은 딸을 불러 연못 밖으로 나오도록 했다.

"부르셨습니까? 아버님."

"오늘부터 이 사람이 네 남편이다. 앞으로 잘 모시도록 해라."

"예.'

아름다운 신령의 딸은 아버지의 지시에 고개를 숙여 대답했다. 신령은 거타지가 보는 앞에서 딸을 꽃으로 변하게 했다.

"자, 품 안에 이 꽃을 지니고 가시오. 당나라에서 일을 다 마치고 신라로 돌아간 연후에 다시 사람의 모습으로 변할 것이오."

거타지는 꽃을 소중하게 받들어 품 안에 간직하였다.

신령은 다시 신호를 하여 두 마리의 용을 부른 후, 명령을 내렸다.

"잘 듣거라. 이 분을 먼저 떠난 신라의 배가 있는 곳까지 모셔다 드려라. 그리고 배가 당나라에 잘 당도할 수 있도록 호위를 하도록 하라."

두 마리의 용은 거타지에게 등에 올라탈 것을 눈짓했다. 거타지는 용의 등에 올라타면서 신령에게 감사의 인사를 올렸다.

"이 은혜 잊지 않겠습니다."

거타지를 등에 태운 두 마리의 용은 사뿐히 날아올라 양패 일행이 있는 곳까지 데려다 주었다.

"아니, 저게 무언가? 웬 용이 이 곳을 향해 오고 있지 않은가?"

"그러게 말입니다. 바다에 또다시 태풍이 몰아칠 징조가 아닐까요?"

순풍으로 순조로운 항해를 하고 있던 양패 일행은 불길한 마음이 들었다.

용이 배 가까이 다가오자, 그들은 겁을 먹고 뒤로 물러났다.

"아, 저기 용의 등에 사람이 타고 있는 것 같습니다."

"뭐라고? 그게 정말이냐?"

한 신하의 말에 양패는 눈을 크게 뜨고 용의 등을 바라보았다.

"아니, 저 사람은 섬에 두고 온 거타지가 아니냐?"

"맞습니다. 거타지가 틀림없습니다."

용은 거타지가 행여 다칠세라 배 가까이까지 다가와 사뿐히 내려 주었다.

"양패 공에게 안부 인사 드립니다."

거타지는 양패에게 다가와 공손히 인사를 올렸다.

"오, 어떻게 된 일인가? 여기까지 용의 호위를 받고 오다니, 참으로 믿기지 않는 일일세."

"예, 사실은 섬에서 예기치 않은 일을 겪었습니다."

양패 일행은 그간의 일이 궁금해 거타지 곁으로 몰려들었다.

"양패 공과 사람들이 섬을 떠나고 난 뒤 연못 속에서 한 노인이 나타났습니다."

"연못 속의 노인이라면 내 꿈에 나타난 신령이로구만."

"아마도 그런 것 같습니다. 노인이 하는 이야기가 오래 전부터 연못 주위에 도술을 부리는 스님이 나타나 자손들을 하나씩 죽여 간을 꺼내 먹었다고 했습니다."

"호, 저런!"

양패는 스님의 간악함에 치를 떨었다.

"그래서 저로 하여금 활을 쏘아 그 스님을 잡아 달라는 부탁을 했습니다."

"활 잘 쏘는 사람 한 명을 섬에 남게 한 이유가 바로 그것이구만."

이제야 그 이유를 알게 된 사람들은 고개를 끄덕였다.

"그래서 그 못된 스님을 잡았나?"

"예. 다음 날, 날이 밝자 스님이 연못에 나타나 염불을 외는 때를 기다려 힘껏 활시위를 당겼습니다. 활을 명중시켜 스님이 그 자리에서 고꾸라지고 말았습니다."

"잘했네. 참 잘했네."

사람들은 마치 자기가 한 일인 양 박수를 치며 좋아했다.

"그런 다음 스님이 죽은 것을 확인하러 연못 가까이 가 보았습니다. 그런데 그 스님은 늙은 여우가 둔갑한 것이었습니다."

"허 거참, 여우가 스님으로 둔갑하고 그런 일을 저질렀군."

"그렇습니다. 신령님은 제게 감사의 말씀을 하고 용을 불러 이 곳까지 데려다 주게 한 것입니다."

이야기를 마친 거타지는 잠깐 숨을 돌렸다. 거타지를 모시고 왔던 두 마리의 용은 돌아가지 않고 그들이 탄 배 주위를 호위했다.

양패의 배는 무사히 당나라에 도착하게 되었다. 마중 나온 당나라 사신들은 양패 일행이 타고 온 배 뒤로 두 마리의 용이 있는 것을 보고 놀랐다.

하지만 양패에게 사실 이야기를 들은 당나라 사신들은 그제야 마음을 놓고 황제에게 보고했다.

황제는 신라의 사신을 맞아 잔치를 성대히 베풀어 주고, 많은 금과 비단을 선물했다.

당나라에서 일을 마치고 신라로 돌아온 거타지는 신령의 말대로 품 안에 지녔던 꽃을 꺼내 여자로 변하게 하였다.

신령의 딸을 아내로 맞아들인 거타지는 행복하게 살았다.


## 무왕과 선화 공주


백제의 제30대 무왕의 어머니는 청상과부로 남지라는 연못가에서 살고 있었다. 그 연못에는 신령스러운 용이 한 마리 살고 있었다.

어느 날, 홀연히 나타난 용과 정을 나눈 과부는 태기가 있어 열 달 뒤

아이를 낳게 되었다. 장이라는 이름의 아이를 사람들은 서동이라고 부르곤 했다.

"왜, 마를 캐다 파는 아이 있지 않소?"

"아, 서동이요?"

"살림이 어려운데도 도량이 넓고 재주가 있다고 하오."

어느덧 서동은 씩씩한 젊은이가 되었다. 그 당시 신라 진평왕의 셋째 딸 선화 공주가 매우 아름답다는 소문이 온 나라 안에 퍼져 있었다.

'모든 사람들이 입에 침이 마르게 선화 공주님을 칭찬하니, 어디 내가 한번 만나 봐야겠다.'

마음을 굳힌 서동은 머리를 깎고 밤을 틈타 신라의 서울로 길을 떠났다. 그 곳에 당도한 서동은 만나는 아이들에게 가지고 간 마를 한 개씩 주었다.

"얘들아, 내가 노래 하나를 가르쳐 줄 테니 따라 부르렴. 이 노래를 잘 부르는 아이에게는 마를 하나씩 더 줄 테다."

"좋아요. 어서 가르쳐 주세요."

신이 난 아이들에게 서동은 이런 노래를 가르쳐 주었다.


　　선화 공주님은 남몰래 정을 통해 두고
　　서동을 밤에 몰래 안고 간다.


서동의 계략대로 아이들이 밤낮으로 부른 노래는 곧 궁궐의 신하들의 귀에까지 들어갔다.

진평왕은 이 사실을 신하들에게 전해 듣고 믿기지가 않았다.

"이를 어쩌면 좋단 말이냐! 선화 공주가 서동이란 자와 밤마다 만나고 다닌다니……."

"임금님, 우선 사람들의 소문을 잠재우기 위해 공주님을 멀리 귀양 보내는 것이 좋을 듯합니다."

결국 선화 공주는 귀양을 가게 되었다. 공주가 떠나기 전에 왕비는 공주에게 순금 한 말을 주어 서운한 마음을 달랬다.

자신의 신세를 한탄하며 먼 길을 가고 있는 선화 공주 앞에 웬 젊은이가 나타났다.

"짐을 제게 주십시오. 가시는 곳까지 들어다 드리겠습니다."

처음에는 거절을 했지만 젊은이에게서 풍겨 나오는 기운이 왠지 나쁜 사람 같지는 않았다. 같이 길을 걸으며 이런 저런 이야기를 나누는 사이에 두 사람은 친구가 되었다.

마침내 선화 공주와 서동은 사랑하는 사이가 되었다. 갈 곳이 마땅하지 않은 선화 공주는 서동이 이끄는 대로 발길을 돌렸다.

"궁금한 것이 있습니다. 여쭈어도 되겠습니까?"

뒤늦은 감이 있었지만, 선화 공주는 이름 모를 젊은이에게 궁금했던 것을 물었다.

"말해 보시오. 이제 와서 무엇을 숨기겠습니까?"

"당신의 이름은 무엇입니까? 그리고 사시는 곳은 어디입니까?"

"내 이름은 서동이오. 그리고 지금 가는 곳은 내가 사는 백제의 서울이오."

대강은 짐작하고 있었지만, 선화 공주는 이를 확인하는 순간 당황스러웠다.

"서동이라면 아이들이 부르는 노래의 장본인이 아닙니까?"

"그렇소. 노래가 사실이 되어 버렸소."

공주는 자신이 궁궐을 쫓겨 나게 된 까닭도 알고 보면 서동 때문이었지만, 그가 싫지가 않았다. 결국 선화 공주는 서동을 따라 백제 땅으로

왔다.

선화 공주는 서동의 집이 가난하다는 사실을 알고 지니고 왔던 금 한 말을 꺼내 놓았다.

"이것으로 집과 살림살이를 새로 장만하세요."

"이게 뭐요?"

"황금이라는 것입니다. 이것만 있으면 평생 부자로 살 수 있답니다."

"하하하……."

서동은 선화의 말을 듣고 큰 소리로 웃어 댔다.

"이런 것이라면 내게 얼마든지 있소. 어린 시절 마를 캐던 곳에 널려 있던 것들이오."

"어머나, 정말입니까? 그럼 어서 그것을 가져오십시오."

"그 많은 걸 무엇에 쓰려고 그러시오?"

"황금을 아버님께 보내 드리면 분명 우리의 죄를 용서 받을 수 있을 것입니다."

다음 날 그들은 금을 서동의 집 앞에 가득 옮겨 놓았다.

"이제 저 금을 신라로 운반하는 일만 남았소. 방법이 있습니까?"

공주는 잠시 머뭇거리더니 용화산 사자사의 지명 법사를 찾아갔다.

"부탁드립니다. 황금을 신라에 계신 부모님께 보내 드리고 싶은데 옮길 방도가 없습니다. 도와주십시오."

"걱정 마시고 사자사 앞으로 금을 옮겨 놓으십시오."

지명 법사는 도술을 써서 선화 공주의 편지와 황금더미를 신라의 왕궁으로 옮겨 놓았다.

"임금님, 궁궐의 뜰에 웬 황금더미가 쌓여 있습니다."

한 신하가 호들갑을 떨며 왕에게 아뢰었다.

궁안의 뜰로 나가 사실을 확인한 왕은 선화 공주가 쓴 편지를 읽은 연후에야 연유를 알 수 있었다.

'흠, 이 많은 보물을 궁 밖으로 쫓아낸 아비를 위해 보내주었구나. 게 다가 이 많은 금을 어떻게 이 곳까지 순식간에 옮길 수 있었단 말인 가?'

진평왕은 여러 가지로 놀라움을 금할 수 없었다. 이 일이 있은 뒤로 왕은 서동에게 안부 편지를 보내곤 했다.

서동은 그 뒤 사람들의 민심을 얻어 백제의 임금이 되었다. 그가 곧 무왕이다.

## 순교자 이차돈

신라 제23대 법흥왕이 신하들을 모아 놓고 말하였다.

"한나라 명제가 꿈에 계시를 받고 불교가 동쪽으로 들어왔다. 앞으로 나는 백성들을 위해 복을 빌고 죄를 없앨 곳을 만들도록 하겠다."

고구려의 스님 몇몇이 신라에 머물러 있었지만, 신라의 신하들은 아 직 불교에 대한 충분한 지식이 없었다.

불교를 널리 알리고자 하는 왕의 마음을 눈치채지 못한 신하들은 오 직 나라를 다스리는 일에만 몰두했다.

"아, 외롭구나! 왕의 자리에 있으면서 백성들을 잘 보살피지 못하고 있으니 마음이 무겁구나. 신하들에게 내 뜻을 알렸건만 알아 주는 이 가 없으니 어쩌면 좋단 말인가?"

조정의 신하 중에 사인의 벼슬을 하고 있는 젊은이가 있었다. 나이는 22세로 성은 박씨요, 이름은 염촉이지만 이차돈으로 더 잘 알려져 있었 다. 아버지는 밝혀지지 않았지만, 할아버지는 아진 벼슬을 한 종으로 갈 문왕 습보(종과 습보는 이름을 가리키는 말이고, 신라인은 돌아가신 왕을 모두 갈문왕이라 함)의 아들이었다.

성품이 곧은 염촉은 왕의 마음을 헤아릴 수 있었다.

"소인이 비록 아는 것은 없지만, 임금님에게 제 뜻을 아뢰고자 합니다."

왕은 웬 젊은이가 나서자 들은 척도 하지 않았다.

"물러가거라. 몹시 피곤하구나."

"신하 된 자로서 나라를 위해 목숨을 바치는 것은 큰 영광이옵고, 임금을 위해 목숨을 버리는 것은 백성의 도리라고 생각합니다. 임금님께서 불교에 뜻을 두고 널리 펴시려고 하나, 제가 속되게 전파했다는 것을 나무라며 소인을 죽여 주십시오. 그런 연후에 조정의 모든 신하와 백성들에게 주의를 주시면 앞으로 임금님의 어명을 어기는 일이 없을 것입니다."

염촉은 실로 마음속에서 우러나오는 진심을 아뢰었다.

"네 마음은 고맙지만 그렇게는 할 수 없는 일이다. 석가모니가 고행을 할 때도 살을 베어 배고픈 새에게 먹였거늘, 어찌 죄 없는 사람을 죽일 수가 있단 말이냐? 내가 펴고자 하는 뜻은 모든 백성을 즐겁게 해 주고자 하는 것인데, 사람을 죽이는 일은 내 뜻에 어긋나는 일이다. 나를 도와주고자 하는 마음은 알겠다만 목숨은 함부로 내놓는 것이 아니다."

조금 전까지 한낱 젊은이의 혈기로만 알았던 왕은 염촉의 진심을 깨닫게 되었다.

"하지만 한 사람이 죽어 백 명이 깨달음을 얻는다면 이보다 더한 일이 어디 있겠습니까? 소인이 저녁에 목숨을 내놓아 아침이 되면 불도가 행해져 임금님의 어진 뜻을 펴신다면 소인은 더 이상 바랄 것이 없습니다."

왕은 마음속에 무언가 알 수 없는 감동이 밀려오는 듯했다.

"너야말로 진정 부처님의 뜻을 행하고자 하는구나."

마침내 결심을 한 왕은 한 신하에게 형을 집행할 준비를 시켰다. 왕은 어명을 내려 신하들을 모이라고 했다.

"나는 왕위에 오를 때부터 불교를 널리 펴고자 했소. 하지만 사악한 무리들이 간사한 말들을 퍼뜨려 어리석은 백성들을 혼란스럽게 하고 있다고 들었소. 내 오늘 간사한 무리들을 골라 내어 사형에 처할 것이오."

그 곳에 모인 신하들은 난데없는 왕의 호령에 영문을 몰라 어리둥절했다.

그러자 왕은 한층 더 화를 내며 한 사람을 가리켜 손짓을 했다.

"사인 염촉은 앞으로 나오라."

염촉은 이미 마음의 준비를 한 듯 앞으로 나왔다.

"듣기로 네놈이 주동이 되어 헛소문을 퍼뜨리고 다닌다고 하던데, 이것이 사실이냐?"

"……."

염촉은 왕의 물음에 대답할 필요도 없다는 듯이 거만하게 서 있었다. 왕은 이 때다 싶어 더욱 큰소리로 염촉을 나무랐다.

"네놈이 말이 없는 걸 보니 틀림이 없구나. 그 동안 네놈이 간사한 말로 사람들을 현혹하는 바람에 불교를 널리 알리고자 하는 일이 늦추어졌다."

왕의 다그치는 소리에 신하들은 쥐 죽은 듯이 조용했다.

"내 더 이상 참을 수가 없으니 오늘 너를 사형시키겠다."

염촉을 죽인다는 왕의 말에 신하들은 기겁을 했다.

"여봐라, 저놈을 목을 벨 준비를 하라."

왕은 군사를 시켜 이렇게 명령하기는 했지만 가슴이 아팠다.

'아, 이렇게까지 해야 한다는 말이냐? 죄 없는 불제자를 앞에 두고 거짓말을 하고 사형까지 집행해야 하니 마음이 무척 괴롭구나. 하지만 이왕 내친 일이다. 이 일로 절을 짓고 백성들에게 불교를 널리 펼 수만 있다면 어쩔 수 없는 일이다.'

다시 한 번 마음을 굳게 먹은 왕은 곧 사형을 집행하였다.

염촉은 죽기 전에 마음속으로 염원했다.

'불교를 사방에 알리려는 왕의 뜻을 받아 이 한 목숨 내놓으니, 부처 님이시여! 부디 그 뜻을 널리 펼쳐 주시기 바랍니다.'

염촉이 사형을 당하자 그의 목에서 흰 젖이 한 길이나 솟구쳐 올랐다. 그리고 맑던 하늘에서 천둥 소리가 들려오고 사방이 어두컴컴해졌다. 그러더니 땅이 울리고 굵은 빗방울이 염촉의 죽음을 슬퍼하듯 쏟아져 내렸다.

이 광경을 본 왕은 돌아서서 눈물을 흘렸다.

'아, 하늘도 염촉의 죽음을 슬퍼하는구나.'

왕과 함께 자리를 지켰던 신하들도 마찬가지로 슬퍼하였다.

"참으로 애석한 일이다."

신하들은 또한 염촉의 죽음 앞에 두려운 생각마저 들었다.

시간이 흐르자 곳곳에서 이상한 일이 생겨났다. 어떤 마을에서는 개 울물이 말라 물고기 떼와 자라 떼가 땅 위로 오르는 일이 생겼다.

"와, 물고기 주우러 가자."

아이들은 바닥이 드러난 곳에 고기들이 널려 있자, 좋아라 하며 물고기를 주워 담았다.

다른 곳에서는 오래 된 나무가 갑자기 잘려 나가는가 하면, 원숭이 떼들이 무리를 지어 끽끽 울어 대곤 했다.

염촉의 친구들은 몹시 슬퍼하며 여러 날을 시름에 젖어 보냈다. 그 모습은 마치 부모를 잃은 아이들과 같았다.

염촉의 시신은 북산에 장사 지내고, 그를 위해 자추사라는 절을 지어 주었다.

그 뒤로 불교를 전하는 일은 순조로워 많은 사람들이 왕의 뜻을 따랐다. 왕은 절을 세우고, 왕의 옷 대신에 스님들이 입는 가사를 입었다.

아들인 진흥왕도 대흥륜사라는 절을 건립하여 아버지 법흥왕의 뜻을 이어갔다.

## 노힐부득과 달달박박

산봉우리가 아름답고 그 줄기가 끝간 데 없이 펼쳐져 있는 백월산은 신라 구사군의 북쪽에 위치해 있다.

산 근처의 마을에 살고 있는 사람들에게 백월산에 얽힌 한 이야기가 전해 내려오고 있었다.

"애들아, 저 산에 얽힌 이야기를 들은 적이 있니?"

"할아버지, 이야기해 주세요."

노인이 손자에게 들려 주는 이야기는 다음과 같다.

오래 전 당나라 황제가 연못 하나를 손질하였다. 그 뒤로 매월 보름이 되면, 그 연못에 산이 비치고 산 위의 모양이 특이한 바위가 그 모습을 드러냈다.

"어허, 참으로 아름다운 산이로구나. 게다가 마치 사자의 모습을 한 바위는 말할 수 없이 괴이하구나."

황제는 연못 속에 나타난 산을 찾고 싶은 마음이 간절했다.

"여봐라, 그림 그리는 화공을 불러오너라."

화공은 황제의 명대로 연못에 비친 산과 바위를 정성을 들여 그려 냈다.

"그래, 참으로 잘 그렸구나. 수고했다."

황제는 몇 사람을 시켜 전국을 돌며 그림의 산을 찾아보도록 했다.

나라 안에서 이 산과 흡사한 산을 찾을 수가 없자, 왕명을 받든 사신들은 이웃 나라로 흩어져 찾아보기로 했다.

당나라의 사신은 비로소 해동(우리 나라를 가리킴)에 이르러서야 그림의 산을 발견할 수 있었다.

"틀림없어. 저 봉우리의 산과 사자 바위는 그림 속의 산과 거의 맞아떨어지는 것 같은데……."

사신은 혹시나 하는 마음에 사자 바위 위에 신발 한 짝을 걸어 두고 당나라로 돌아왔다.

서둘러 황제에게 해동에서 발견한 산에 대해 아뢰었다.

"분명 그림의 산과 흡사합니다. 하지만 혹시 틀릴지도 모른다는 생각에 제 신발 한 짝을 바위 꼭대기에 매달아 두고 왔습니다."

"흠, 그럼 보름이 되어 그 연못에 가서 확인해 보면 알 수 있겠구나."

"그렇습니다. 만약 연못에 사자 바위에 걸어 둔 신발이 보이면 분명 제가 찾은 산이 틀림없습니다."

드디어 보름이 되니 연못에 달빛이 은은하게 비추었다. 잠시 후, 산봉우리가 나타나고 사자 바위가 그 모습을 드러내었다.

"어떤가? 바위 위에 무언가 보이는 것이 있는가?"

"아, 있습니다. 제가 걸어 둔 신발이 또렷이 보입니다."

황제는 신하와 함께 사실을 확인하고 감탄해 마지않았다. 황제는 연못에 비친 산의 이름을 백월산이라 이름지었다.

그런데 산의 이름이 지어진 후로는 연못에 비치던 산 그림자가 다시는 보이지 않았다 한다.

산 근처 마을 아이들은 자라면서부터 할아버지와 할머니에게 이 이야기를 듣곤 했다.

백월산 동남쪽에서 조금 떨어진 곳에 선천촌이라는 마을이 있었다. 어려서부터 친한 친구 사이인 두 젊은이가 이 곳에 살고 있었다.

한 사람은 노힐부득이라는 젊은이로, 아버지의 이름은 월장, 어머니는 미승이라는 분이었다.

노힐부득의 친구 달달박박의 아버지의 이름은 수범, 어머니의 이름은 범마였다.

두 친구는 모두 외모가 출중하고 학문에도 뛰어났다.

"여보게, 자네는 앞으로 어떻게 살 생각인가?"

노힐부득이 달달박박에게 물었다.

"뜬금없이 그게 무슨 말인가?"

"나는 장차 속세를 벗어나 부처의 큰 뜻을 받들 생각이네."

"아 그런가? 나도 자네에게 말은 한 적은 없지만, 언젠가는 부처의 길을 걸어서 중생에게 그 뜻을 알릴 생각이었네."

"참 잘 되었네. 우리 함께 그 뜻을 펼치기로 하세."

그들은 20세가 되자 마을 밖의 한 절을 찾아 머리를 깎고 스님이 되었다. 다시 자리를 옮겨 승도촌이라는 곳을 찾아 자리를 잡았다.

두 친구는 각각 대불전과 소불전이란 곳에 살았다.

이미 혼인을 한 두 사람은 아내와 자식은 동네에 머물게 하면서, 자신들은 그 곳에서 가까운 회진암과 유리광사에서 불도를 닦고 있었다.

그들은 시간이 흐를수록 이렇게 사는 것이 옳지 않음을 마음 깊은 곳에서 느끼곤 했다.

"여보게, 친구. 잘 지내고 있나?"

"글쎄. 자네는 어떤가?"

"농사일도 열심히 하고 암자에서 불도를 닦고 가족들과 행복하게 살고 있네만 마음 한 구석은 늘 허전하다네."

"나도 마찬가지네. 속세를 벗어나 부처님의 가르침을 좀더 가까이 접하고 싶네."

두 친구는 가족들과 함께 지내며 행복하기도 했지만, 부처님의 세계로 들어가 더 많은 도를 닦아 부처님이 이룬 가장 높은 도의 경지에 오르고 싶었다.

마침내 사람들 틈에 끼어서는 여러 가지 잡념이 생겨 불교에서 말하는 진리를 깨우칠 수가 없다고 생각한 그들은 가족들과 이별을 하기로 결심했다.

"그럼, 인적이 없는 깊은 산골을 찾아 도를 닦기로 하세."

"좋네. 나도 바라던 바네. 그럼 내일 다시 만나 의논하기로 하지."

각기 집으로 돌아간 그들은 그날 밤, 꿈을 꾸었다.

"아, 저게 무슨 빛이지? 저렇게 찬란한 빛은 처음 보는데."

노힐부득은 빛이 너무 부셔 눈을 뜰 수가 없을 정도였다. 그런데 그 빛이 점점 노힐부득에게 다가오고 있었다.

그는 문득 누군가가 자신의 머리를 쓰다듬고 있다는 느낌을 가졌다.

"누군가 내 머리를 만지고 있는 것 같은데……."

이상한 생각에 문득 빛 때문에 감아 버린 눈을 떠 위를 쳐다보았다. 자신의 머리를 쓰다듬는 사람의 모습은 볼 수 없었지만, 금빛이 나는 팔을 한순간 볼 수 있었다.

'혹시 이 손의 주인은?'

이런 생각을 하며 그는 자신의 생각을 확인해 보기 위해 다시 한 번 주변을 둘러보았다. 하지만 아무것도 보이지 않았다.

잠에서 깬 노힐부득은 고개를 갸웃거렸다.

'꿈이었구나. 마치 현실에서 일어난 것처럼 생생하구나.'

꿈 속에서 일어난 일이 사실처럼 느껴진 그는 자신의 머리를 쓰다듬은 사람의 모습을 생각해 보았다.

'그래, 그 모습은 볼 수가 없었지만, 금 빛깔의 팔은 필시 부처님의 손길이 틀림없어.'

다음 날, 날이 밝자 그는 달달박박의 집으로 갔다. 달달박박도 마침 노힐부득을 만나러 가던 참이었다.

"그래 무슨 일로 나를 보려고 하는가?"

"글쎄, 내가 어젯밤에 꿈을 꾸었는데……."

노힐부득은 꿈을 꾼 이야기를 친구에게 들려 주었다. 꿈 이야기를 듣고 있던 달달박박의 얼굴은 무언가 신기한 일을 만난 듯 놀라는 표정이었다.

"그게 정말인가? 어쩌면 나랑 그렇게 똑같은 꿈을 꾸었단 말인가?"

"아니, 그럼 자네도 어젯밤에……."

달달박박도 노힐부득이 어젯밤에 본 부처의 손을 똑같이 보았던 것이다.

"참 신기한 일일세. 같은 시각에 똑같은 꿈을 꾸다니……."

"그러게 말일세. 아무래도 부처님의 계시인 것 같네."

두 사람은 아내와 자식들에게 작별 인사를 하고 백월산 무등곡을 찾아갔다. 달달박박은 북쪽 고개 위에 있는 사자바위 위에 나무로 집을 지었다.

또한 노힐부득은 동쪽 고개 바위가 많은 곳 아래 거처를 마련하였다.

노힐부득은 미륵불의 도를 닦고, 달달박박은 미타불을 섬기며 도를 닦았다.

이로부터 3년이 채 안 된 성덕왕 8년, 음력 4월 8일의 일이다.

어느덧 해가 지고 어둠이 깔릴 무렵이었다. 나이는 스무 살 가량 되어 보이는 아리따운 처녀가 달달박박이 거처하는 곳을 찾아왔다.

단정해 보이는 처녀의 몸에서는 속세에서 맡아 본 적이 없는 신비로운 향기가 흘러나왔다.

"스님, 날이 저물어 가던 길을 멈추고 이 곳을 찾아왔습니다. 부디 하룻밤만 지낼 수 있도록 허락해 주십시오."

처녀는 간청하면서 시 한 수를 지어 올렸다.


나그네 갈 길이 먼데 해는 지니
모든 산이 어둡고, 길은 막히고
인가도 멀어 쓸쓸하기 그지없다.
오늘은 이 암자에서 하룻밤 지내려고 하니
스님은 노여워하지 말고 받아 주시오.


달달박박은 자신의 암자에 찾아든 처녀의 사정이 딱했지만, 마음을 굳게 먹고 단숨에 거절했다.

"절은 스님들이 도를 닦는 신성한 곳입니다. 낯선 여인네들이 함부로 묵어갈 수 없는 곳입니다. 어서 이 곳을 떠나시오."

그는 냉정하게 문을 닫고 방으로 들어가 버렸다. 처녀는 할 수 없이 그 곳을 나와야 했다.

처녀가 이번에는 노힐부득이 거처하는 곳을 찾아 하룻밤 머물게 해 달라고 간청했다.

"어디서 오는 길입니까?"

처녀는 노힐부득의 물음에 살며시 미소를 띠며 대답했다.

"천지에 모든 것이 한 가지인데, 어찌 오고 가는 것이 있겠습니까? 스님이 높은 곳에 뜻을 두시고 도를 닦는다 하시기에 소문 듣고 찾아왔습니다. 제가 수행하시는 데 조금마한 보탬이 될까 합니다."

말을 마친 처녀는 말로 다하지 못한 내용을 글로 적어 스님에게 건네주었다.

해가 저문 낯선 산길에 쉴 곳을 찾아
여기저기 둘러봐도 인가는 보이지 않네.
대나무와 소나무 그늘은 그윽하고
골짜기의 물 흐르는 소리 새롭구나.
길을 잃어 머물 곳을 찾는 것이 아니라
스님의 뜻을 도우러 온 것이니
원하니 내 청을 거절하지 마시고
누구인지는 묻지 마십시오.

여인의 글을 읽은 노힐부득은 깜짝 놀라 손을 내저었다.

"무얼 잘못 아신 모양이오. 나는 속세를 떠난 몸이고 이 곳은 낯선 여인이 머물 곳이 아니오. 하지만 오늘은 날도 저물고 중생의 어려움을 도와주는 것도 수행의 한 가지라는 생각이 드니 들어오시오."

"고맙습니다, 스님."

스님의 허락을 받은 여인은 기쁜 얼굴로 암자 안으로 들어갔다. 밤이 깊어지자 노힐부득은 등불을 켜고 염불을 외기 시작했다.

이제 어둠이 내려 바깥은 칠흑같이 깜깜했다. 노힐부득이 정신을 집

중하여 염불 외기에 여념이 없을 때였다.

"아, 스님, 스님!"

숨넘어갈 듯이 애처롭게 부르는 여인의 소리가 들려왔다.

"왜 그러시오? 어디 아픈 곳이라도 있소?"

"사실은 제가 아이를 가졌습니다. 해산할 날짜가 다 된 것 같은데, 오늘 낳을 듯합니다. 자리를 좀 마련해 주십시오."

노힐부득은 여인의 말대로 아이를 낳을 준비를 해 주었다. 곧 아이를 순산한 여인은 노힐부득에게 어려운 부탁을 했다.

"스님, 목욕할 물을 준비해 주십시오."

여인의 부탁을 받은 스님은 곧 물을 데우고 목욕할 통을 마련하였다. 그리고는 몸을 제대로 가누지 못하는 여인을 부축하여 목욕을 시켜 주었다.

'어, 이상한데? 목욕 물에서 이상한 향기가 풍기는걸.'

스님은 이상한 향기에 취하면서 목욕통을 들여다보았다. 그러자 목욕 물은 점점 금빛으로 변해 갔다.

노힐부득은 깜짝 놀라 여인의 얼굴을 바라보았다.

"놀라지 마십시오. 스님도 이 통에 들어와 목욕을 하세요."

"아닙니다. 제게 신경 쓰지 마십시오."

스님은 손을 내저으며 단호히 거절했다.

"어서 들어오십시오. 스님에게 해가 되는 일이 아니니 저를 믿으십시오. 잠시 후면 이유를 아시게 될 것입니다."

여인은 막무가내로 고집을 부렸다. 여인의 말을 믿고 스님은 할 수 없이 물에 몸을 담그었다.

여인이 목욕하던 물이 스님의 몸에 닿자, 온 몸이 맑아지면서 피부가 금빛으로 변해 갔다. 어느 새 옆에는 연꽃 무늬의 방석이 마련되어 있었다.

"스님, 저 연화대로 오르십시오."

스님은 여인의 말대로 그 곳으로 가서 자리를 잡고 앉았다.

"지금부터 모든 것을 말씀드리겠습니다. 나는 관음보살입니다. 스님이 불도에 마음을 쏟는다는 것을 알고 시험한 후 뜻을 이루어 주려고 왔습니다."

노힐부득은 그제야 모든 것을 깨닫고 관음보살에게 합장을 올렸다. 말을 마친 관음보살은 온데간데없이 사라져 버렸다.

길 잃은 처녀가 암자로 들어오는 것을 매몰차게 거절했던 달달박박은 암자에 머물면서 생각에 잠겼다.

'이 곳을 찾은 처녀가 갈 곳은 노힐부득이 머물고 있는 암자밖에 없다. 그 사람은 분명 정에 못이겨 처녀를 받아 주었을 것이다.'

달달박박은 친구가 걱정이 되는 한편, 도를 닦는 스님이 낯선 여인과 함께 있다는 사실이 꺼림칙하게 여겨졌다.

그는 노힐부득이 거처하는 곳을 가 보았다.

"안에 계신가?"

"들어오게."

달달박박은 방으로 들어서는 순간 소스라치게 놀라 뒤로 자빠질 뻔했다. 정신이 든 그는 저도 모르게 무릎을 꿇고 앉았다.

"아니, 이게 어찌 된 일인가?"

노힐부득은 미륵불이 되어 연화대에 앉아 있는데, 그의 몸은 온통 금빛으로 밝은 빛을 내뿜고 있었다.

노힐부득으로부터 어젯밤에 있었던 여인과의 일을 듣고 난 달달박박의 입에서는 한숨 소리가 저절로 흘러나왔다.

"아, 안타깝구나. 이제야 부처님의 뜻을 깨달았네. 내게도 관음보살이 찾아오셨으나 내 생각이 너무 많아 그만 물리치고 말았다네. 자네는 중생을 위하는 큰 덕으로 나보다 먼저 뜻을 이루었네. 부디 나를 잊지 말고 성불할 수 있도록 도와주게."

미륵불이 된 노힐부득이 환한 웃음을 지으며 대답했다.

"여보게. 통 속에 아직 금빛 물이 남아 있으니 그 물로 몸을 씻도록 하게."

친구가 일러 준 대로 통 속에 있는 물로 목욕을 하자 달달박박도 피부가 금빛을 띠며 미타불이 되어 연화대에 앉게 되었다.

백월산 아래 사는 마을 사람들이 이 소식을 듣고 우르르 몰려왔다.

"아니, 사람들이 어디를 저리 급히 가는가?"

"자네 소식 못 들었나?"

"내가 없는 동안 마을에 무슨 일이라도 생겼는가?"

"이 사람 참, 백월산에서 도를 닦던 스님 두 분이 성불하셨다네. 그래서 사람들이 두 분 부처님을 직접 보려고 저리 급히 가는 길이라네."

"세상에! 나도 얼른 따라가 봐야겠네."

소문을 들은 사람들은 서둘러 백월산으로 향했다. 순식간에 많은 사람들이 암자로 몰려들어 사실을 확인하고는 입을 다물지 못했다.

두 부처는 그들에게 부처님의 법을 전한 뒤, 구름을 타고 휭하니 사라져 버렸다.

경덕왕이 이 일을 신하들로부터 전해 듣고 백월산에 남사라는 이름의 큰 절을 세웠다.

## 월명 스님

신라 제35대 경덕왕이 왕위에 있을 때의 일이다. 4월 초하룻날이 되어 이상한 일이 벌어졌다.

두 개의 해가 나타나 열흘이 지나도록 그대로 하늘에 떠 있었다. 경덕왕은 괴이한 일에 마음이 혼란스러웠다.

'이게 무슨 징조일까?'

왕은 일관을 불러 알아보라 하였다.

"이 일과 인연이 있는 스님을 모셔다가 부처님에게 노래를 지어 올리면 일이 해결될 것입니다."

일관의 말대로 왕은 제단을 정성스럽게 준비하고, 청양루로 올라가 스님이 나타나기를 기다렸다.

월명 스님이 남쪽 길을 가고 있는 것을 보고, 제단이 있는 곳으로 데려오라 명령했다. 잠시 후, 왕 앞에 불려 온 월명 스님은 향가 한 수를 지어 올렸다.


　　　궁궐에서 오늘 산화가를 부르며
　　　한 송이의 꽃을 구름에 날려 보내니,
　　　이 정성스러운 마음을 부디
　　　도솔천에 계신 부처님에게 전해 주어라.


월명의 노래가 끝나자 신기하게도 하늘에 떠 있던 해가 하나만 남게 되었다.

"참으로 수고가 많았소. 이 모든 게 스님의 덕이 높으신 때문이오."

왕은 감사의 뜻으로 신하를 시켜 월명 스님에게 향기로운 차 한 봉지와 수정으로 만든 백팔염주를 드리라고 했다.

그 때 어디선가 외모가 단정해 보이는 도령이 나타났다. 도령은 준비해 둔 차와 염주를 스스럼없이 받아들고 누각의 서쪽 작은 문으로 발길을 돌렸다.

"저 도령은 누구입니까?"

왕은 월명 스님을 향해 궁금한 듯이 물었다.

"처음 보는 아이인 것 같은데…… 궁 안에서 심부름을 하는 아이가 아닙니까?"

"아닙니다. 나는 스님이 데리고 온 아이인 줄 알았습니다만……."

이상한 생각이 든 왕이 신하를 불렀다.

"여봐라. 방금 차와 염주를 받아 나간 도령의 뒤를 따라가 보아라."

소년의 뒤를 밟고 돌아온 심부름꾼이 잠시 후 궁으로 돌아왔다.

"어찌 된 일이냐?"

"작은 문을 통해 나간 아이는 곧바로 궁 안의 정원에 있는 탑 속으로 사라져 버렸습니다."

"뭐라고! 아이가 탑으로 들어갔단 말이냐?"

"예, 탑 앞에서 순식간에 없어져 버렸습니다."

"그렇다면 아이가 들고 간 차와 염주는 어떻게 되었느냐?"

"차와 염주는 미륵 보살이 그려져 있는 남쪽 벽화 앞에 가지런히 놓여 있습니다."

그제야 왕은 무릎을 탁 치며 놀라워했다.

"아! 이제 알겠도다. 월명 스님의 너그러운 덕과 지극한 정성에 미륵 보살도 감동을 하셨구나."

왕은 월명에게 비단 백 필을 주어 존경의 표시를 하였다. 월명이 한 일은 온 나라 안에 퍼져 그를 모르는 사람이 없게 되었다.

월명 스님은 또 사랑하는 누이동생이 죽자 그녀를 위한 향가를 지어 제사를 지냈다.

'아, 삶이란 덧없구나. 그토록 아끼고 사랑하던 누이동생이 이렇게

쉽게 세상을 떠나 버리다니……'
동생의 죽음을 슬퍼하며 지은 향가의 내용은 다음과 같다.

삶과 죽음의 길은
이에 있음에 두려워하여
'나는 간다' 는 말도
못다 이르고 갔는가?
어느 가을철 이른 바람에
여기 저기에 떨어지는 나뭇잎처럼
같은 가지에 나고서도 가는 곳을 모르겠구나.
아아, 극락 세계에서 만나볼 나는
불도를 닦아 기다리겠노라.

# 작품 알아보기
## (고전 문학)

《삼국유사》는 고려 후기의 승려 일연이 지은 역사책이다. 고조선에서 신라 말까지의 역사를 담은 것으로, 1281년(충렬왕 7년)경에 완성한 것으로 보인다. 전체 분량은 다섯 권이며 '삼국유사'라는 이름은 《삼국사기》에서 빠진 것을 보충한다는 의미이다.

이 책은 저자가 수집한 자료 중에서 관심이 가는 것을 모아 자유롭게 정리했기 때문에 역사적인 사실과는 다른 점이 있다. 예를 들어 신라의 충신 박제상의 이름이 '김제상'으로 되어 있는가 하면, 거기에 나오는 미사흔과 복호 두 왕자의 이름도 다르다. 또한 두 왕자가 고구려와 일본에 볼모로 잡혀가게 된 과정도 다르게 설정되어 있다.

불교에 대한 내용이 대부분이지만, 다른 내용도 적지 않다. 또한 황당한 이야기를 많이 수록하고 있으며, 신앙과 관련되기 때문에 평민들의 일상 생활도 많이 다루어져 있다.

이 책은 남아 있는 문헌 가운데 단군 신화를 처음으로 수록한 책으로, 우리 역사의 출발점을 고조선으로 잡고, 그 시조를 중국이 아닌 하늘과 직접 연결시킴으로써 우리 민족사의 독자성을 강조했다. 이는 몽골의 침입을 겪고난 뒤 원의 간섭을 받던 시기에 형성된 새로운 역사의식의 표현으로 볼 수 있다.

또한 고대의 풍속·제도·종교·예술 등에 대한 중요한 내용을 담고 있어, 《삼국사기》와 함께 우리 나라 고대사와 고려시대사 연구에 있어서 기본이 되는 자료이다. 또한 여기에 수록된 향가 14수는 우리 나라 고대 문학과 언어학 연구에서 매우 귀중한 자료가 되고 있다.

# 논술 길잡이
## (고전 문학)

❶ 아래 그림은 '선덕 여왕의 선견지명'에 나오는 것이다. 선덕 여왕에 관한 세 가지 일화를 본문에서 찾아 써 보자.

# 논술 길잡이
## (고전 문학)

❷ 《삼국유사》에는 비현실적인 얘기들이 많이 나온다. 아래 예
문은 '고주몽 신화'에 나오는 내용인데, 이처럼 현실에서는
도저히 일어날 수 없는 얘기 중에 가장 인상에 남는 것 세
가지만 써 보자.

간절한 염원을 담아 강물을 바라보며 주몽은 큰 소리로 소원을
빌었다. 잠시 후 이에 대답하기라도 하듯 수많은 물고기와 자라 떼
가 물 위로 떠오르기 시작했다.
"앗! 저기를 좀 보십시오."
곁에 있던 한 사람이 강물을 바라보며 소리쳤다.
"물의 신이시여, 감사합니다."
떠오른 물고기와 자라 떼는 서로의 머리와 꼬리를 물어, 다리를
만들어 주었다. 순식간에 물고기들의 다리가 만들어지자 주몽 일행
은 지체하지 않고, 강으로 훌쩍 뛰어들었다.

# 논술 길잡이
## (고전 문학)

❸ '백제의 마지막'을 읽은 후, 백제가 망하지 않기 위해서는 의자왕이 어떻게 했어야 할까에 대해 생각해 보고 자신의 의견을 쓰라.

_____

_____

_____

_____

_____

❹ 이 책에 나오는 향가가 전부 몇 편인지 찾아본 후, 누가 지었는지 찾아 써 보자.

_____

_____

_____

_____

_____

# 논·술·한·국·대·표·문·학 〈전60권〉

| | |
|---|---|
| 펴 낸 날 | 2009년 |
| 펴 낸 이 | 정재상 |
| 펴 낸 곳 | 훈민출판사 |
| 주 소 | 경기도 고양시 덕양구 원당동 416번지 |
| 대표전화 | (031)962-3888 |
| 팩 스 | (031)962-9998 |
| 출판등록 | 제395-2003-000042호 |